U0051008

大地

大地

哈佛家訓

威廉．貝納德◎著　張玉◎譯

序言

《哈佛家訓》是我送給兒子和女兒的一份特殊的人生禮物。我深切地感到，父母不僅要用牛奶和麵包將子女養大，在他們成長的過程中，我們還要及時用完美的思想薰陶他們的靈魂。

子女是父母愛情的結晶。生下他們，並不只是讓我們得到做父母的愉悅，更重要的是讓我們去教導他們，用正確的人生觀念啓迪他們，使他們眞正成爲人類智慧的菁英，成爲大地上生命的強者。我們要擔負起這個責任，應該好好去履行做父母的職責。

幾乎所有的年輕人都渴望擁有成功的人生。然而，他們中的一些人因爲缺少正確的指導，往往事倍功半，甚至不小心誤入歧途。青少年時期形成的觀念，會以不同的方式影響一個人的一生，所以，在人生開始的時候，應該讓他們接受高尚的思想，修煉優良的操行，形成健康的習慣。

《哈佛家訓》中的每個故事都具有豐富的教育功能和深刻的生活意義，不僅可以激發青少年對社會、人生進行多角度的思考，還可以點燃他們內心深處的智慧火花，使他們見微知著，從一滴水看見大海，由一縷陽光洞見整個宇宙。

這是一部教子課本，也是一部成人的修身指南。許多望子成龍的人，總是認爲孩子應該這樣做或那樣做，他們自己卻經常背道而馳。父母覺得自己比孩子高明，但事實並非如此。如果我們沒有比孩子們做得更好，我們至少應該和他們一起成長。

所有閱讀這本書的讀者——無論是涉世未深的青少年，還是經歷過世事風雨的成年人，如果因爲這本書中的某一個故事或者是某一句話而改變了人生，從而使自己由平庸變得非凡，從失敗走向成功，那我就感到心滿意足了。

威廉・貝納德

二〇〇四年二月於紐約

目錄

品性

站立生命的基石

夢想

妝點歲月的風景

目錄

真愛

永恆不息的心跳

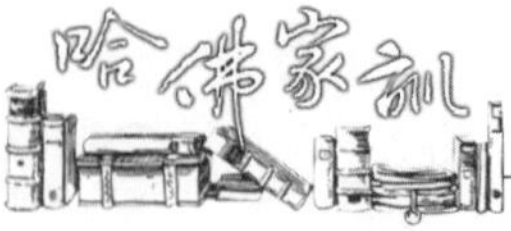
哈佛家訓

目錄

成功

奮鬥人生的酒杯

思維

通向真理的捷徑

目錄

品性

站立生命的基石

「你認爲，我可以把這張成績單交給我爸爸嗎？」

「如果你爸爸的性格不像我爸爸那麼粗暴，同時他的心臟也很健康的話，你不妨試著讓他看一看。不過，我不保證你的安全。」

一條小麵包

經濟大蕭條時期，一位富有的麵包師把城裡最窮的二十個小孩召喚來，對他們說：「在上帝帶來好光景以前，你們每天都可以來拿一條麵包。」

每天早晨，這些饑餓的孩子蜂擁而上，圍住裝麵包的籃子你推我攘，因爲他們都想拿到最大的一條麵包。等他們拿到了麵包，顧不上向好心的麵包師說聲謝謝，就慌忙跑開了。

只有格琳琴，這位衣著貧寒的小姑娘，既沒有同大家一起吵鬧，也沒有與其他人爭搶。她只是謙讓地站在一步之外，等其他孩子離去以後，才拿起剩在籃子裡最小的一條麵包。她從來不會忘記親吻麵包師的手以表示感激，然後才捧著麵包高高興興地跑回家。

有一天，別的孩子走了之後，羞怯的小格琳琴得到一條比原來更小的麵包。但她依然不忘親吻麵包師，並向他表達眞誠的謝意。回家以後，媽媽切開麵包，發現裡面竟然藏著幾枚嶄新發亮的銀幣。

媽媽驚奇地叫道：「格琳琴，立即把錢送回去，一定是麵包師揉麵的時候不小心掉進去的，趕快去，把錢親自交給好心的麵包師！」

當小姑娘把銀幣送回去的時候，麵包師說：「不，我的孩子，這沒有錯，是我特意把它們放進去的。我要告訴你一個道理：謙讓的人，上帝會給予他幸福。願你永遠保持一顆寧靜、感恩的心。回家去吧，告訴你媽媽，這些錢是上帝的獎賞。」

謙讓的心，有如宇宙中的天空，有如大地上的海洋和山谷——謙讓者因寬容而博大，因博大而有力。

好爭的人，天將與之相爭；謙讓的人，天將與之相讓。

籬笆上的鐵釘

從前，有一個脾氣很壞的男孩，他的爸爸給了他一袋釘子，告訴他，每次發脾氣或者跟別人吵架以後，就在院子的籬笆上釘一根釘子。

第一天，男孩釘了三十七根釘子。以後的日子裡，他慢慢學著控制自己的脾氣，每天釘的釘子逐漸減少了。他發現，控制自己的脾氣實際上比釘釘子要容易的多。

終於有一天，一根釘子都沒有釘，他高興地把這件事告訴了爸爸。

爸爸說：「從今以後，如果你一天都沒有發脾氣，就可以從籬笆上拔掉一根釘子。」日子一天一天過去，最後，籬笆上的釘子被全部拔光了。

爸爸帶他來到籬笆邊，對他說：「兒子，你做得很好，可是，看看籬笆上的釘孔吧，這些洞永遠也不可能恢復原來的樣子了。就像你和一個人吵架，說了些難聽的話，你就會在他心裡留下一個傷口，像這個釘子洞一樣。」

插一把刀子在一個人的身體裡，再拔出來，傷口就難以癒合了。無論你怎麼道歉，傷口總是在那兒。要知道，身體上的傷口和心靈上的傷口一樣都難以恢復。

你的朋友和你的家人都是你寶貴的生命財富，他們讓你更自信，讓你更勇敢。他們總是隨時傾聽你的憂傷，你需要他們的時候，他們會支持你，向你敞開心扉。可是，有時你會說出傷害他們的話，或者做出讓他們痛心的事情。不要認為他們不會介意，就像在籬笆上釘過釘子一樣，傷害會留下永遠的痕跡。

壞脾氣是一柄雙刃劍，它在傷害別人的時候，同時也傷害了自己。

被拆掉兩次的亭子

墨西哥總統福克斯以誠實守信的品德而受到國人的尊重，他一生做人的原則就是兩個字：誠實。正是這樣的人格品質，使他從一個普通的推銷員成爲一個國家的總統。

一次，福克斯受邀到一所大學演講，一個學生問他：「政壇歷來充滿欺詐，在你從政的經歷中有沒有撒過謊？」

福克斯說：「不，從來沒有。」

大學生在下面竊竊私語，有的還輕聲笑出來，因爲每一個政客都會這樣表白。他們總是發誓，說自己從來沒有撒謊。

福克斯並不氣惱，他對大學生說：「孩子們，在這個社會上，也許我很難證明自己是個誠實的人，但是你們應該相信，這個世界上還有誠實，它永遠都在我們的周圍。我想講一個故事，也許你們聽過就忘了，但是這個故事對我卻很有意義。」

有一位父親是一個農場主。有一天，他覺得園中的那座亭子已經太破舊了，就安排工人們準備將它拆掉。他的兒子對拆亭子這件事很感興趣，於是對父親說：「爸爸，我想看看你們怎麼拆掉這座亭子，等我從寄宿學校放假回來再拆好嗎？」父親答應了。

可是，等孩子走後，工人們很快就把亭子拆掉了。孩子放假回來後，發現舊亭子已經不見了。他悶悶不樂地對父親說：「爸爸，你對我撒謊了。」

父親驚異地看著孩子。孩子繼續說：「你說過的，那座舊亭子要等我回來再拆。」父親說：「孩子，爸爸錯了，我應該兌現自己的諾言。」

這位父親重新召來工人，讓他們按照舊亭子的模樣在原來的地方再造一座亭子。亭子造好後，他將孩子叫來，然後對工人們說：「現在，請你們把它拆掉。」

福克斯說，我認識這位父親，他並不富有，但是他卻在孩子面前實現了自己的承諾。

學生們聽後問道：「請問這位父親叫什麼名字？我們希望認識他。」福克斯說：「他已經過世了，但是他的兒子還活著。」

「那麼，他的孩子在哪裡？他應該是一位誠實的人。」福克斯平靜地說：「他的孩子現在就站在這裡，就是我，墨西哥總統福克斯。」

福克斯接著說：「我想告訴大家的是，我願意像父親對我一樣對待這個國家，對待這個國家的每一個人。」台下掌聲雷動。

將一座亭子拆建兩次，絕不僅僅為了滿足一個孩子的願望，更是為了滿足一個成人自我完善的道德要求。

在社會生活中，失信會增大交際成本，會使許多簡單的事變得艱難甚至不可能。所以，一個希望得到社會尊重和支持的人，是不願意犧牲誠信原則的。

在園子裡重新拆掉一座亭子，就在孩子的心裡重建了一座亭子，這座亭子就是一個信念——對誠信的信念。

仁慈的謊言

一八四八年，美國南部一個安靜的小鎮上，一聲刺耳的槍聲劃破了午後的沉寂。

剛入警察局不久的年輕助手，聽到槍聲，就隨警長匆匆奔向出事地點。一位青年人被發現倒在臥室的地板上，身下一片血跡，右手已無力地鬆開，手槍落在身旁的地上，身邊的遺書筆跡紛亂。他傾心鍾情的女子，就在前一天與另一個男人走進了教堂。

屋外擠滿了圍觀的人群，死者的六位親屬都呆呆佇立著，年輕的警察禁不住向他們投去同情的一瞥。他知道，他們的哀傷與絕望，不僅因爲親人的逝去，還因爲他們是基督教徒。對於基督教徒來說，自殺便是在上帝面前犯了罪，他的靈魂從此將在地獄裡飽受烈焰焚燒。而風氣保守的小鎮居民，會視他們全家爲異教徒，從此不會有好人家的男孩子約會他們的女兒們，也不會有良家女子肯接受這個家族男子們的戒指和玫瑰。

這時，一直沉默著雙眉鎖緊的警長突然開了口：「這是一起謀殺。」他彎下腰，在死者身上探摸了許久，忽然轉過頭來，用威嚴的語調問道：「你們有誰看見他的銀掛錶嗎？」

那個銀掛錶，鎮上的每個人都認得，是那個女子送給年輕人唯一的信物。人們都記得，在人群集中的地方，這個年輕人總是每隔幾分鐘便拿出這個錶看一次時間。在陽光下，銀掛錶閃閃發光，彷彿一顆銀色溫柔的心。

所有的人都忙亂地否認，包括圍在門外看熱鬧的那些人。

警長嚴肅地站起身：「如果你們誰都沒看到，那就一定是凶手拿走了，這是典型的謀財害命。」

死者的親人們嚎啕大哭起來，恥辱的十字架突然化成了親情的悲痛，原來冷眼旁觀的鄰居們也開始走近他們，表達慰問和弔唁。警長充滿信心地宣布：「只要找到銀錶，就可以找到凶手了。」

門外陽光明媚，六月的大草原綠浪滾滾。年輕助手對警長明察秋毫的判斷欽佩有加，他虔誠地問道：「我們該從哪裡開始找這個錶呢？」

警長的嘴角露出一抹難以察覺的笑意，伸手慢慢地從口袋裡掏出了一塊銀錶。

年輕人禁不住叫出聲來：「難道是……」

警長看著周圍廣闊的草原，依然保持沉默。

「那麼，他肯定是自殺。你爲什麼硬要說是謀殺呢？」

「這樣說了，他的親人們就不用擔心他靈魂的去向，而他們自己在悲痛之後，還可以像任何一個基督徒一樣開始清清白白的生活。」

「可是你說了謊，說謊也是違背十誡的。」

警長用銳利的眼睛盯著助手，一字一頓地說：「年輕人，請相信我，六個人的一生，比摩西十誡的百倍還重要。而一句因爲仁慈而說出的謊言，只怕上帝也會裝著沒有聽見。」

那是年輕警官遇到的第一樁案子，也是他一生中最有意義的一課。

上帝在對我們進行判斷的時候，並不只看我們在怎樣說或怎樣做，而是在乎我們為什麼這樣說和這樣做。

喜歡用美麗的語言和漂亮的行動裝飾自己的人，最好先看一看自己的內心，然後再瞅一瞅上帝的眼神。

我知道你是明星

電影明星洛依德將車開到檢修站，一個女工接待了他。她熟練靈巧的雙手和年輕俊美的容貌一下子吸引了他。

整個巴黎都知道他，但這個姑娘卻沒表示出絲毫的驚訝和興奮。

「您喜歡看電影嗎？」他不禁問道。「當然喜歡，我是個電影迷。」

她手腳俐落，看得出她的修車技術非常熟練。半小時不到，她就修好了車。

「您可以開走了，先生。」

他卻依依不捨：「小姐，您可以陪我去兜兜風嗎？」

「不，先生，我還有工作。」

「這同樣是您的工作。您修的車，難道不親自檢查一下嗎？」

「好吧，是您開還是我開？」

「當然我開，是我邀請您的嘛。」

車跑得很好。姑娘說：「看來沒有什麼問題，請讓我下車好嗎？」

「怎麼，您不想再陪陪我嗎？我再問您一遍，您喜歡看電影嗎？」

「我回答過了，喜歡，而且是個影迷。」

「您不認識我？」

「怎麼不認識，您一來我就認出，您是當代影帝阿列克斯・洛依德。」

「既然如此，您爲何對我這樣冷淡？」

「不！您錯了，我沒有冷淡。只是沒有像別的女孩子那樣狂熱。您有您的成績，我有我的工作。您今天來修車，是我的顧客，我就像接待顧客一樣接待您；將來如果您不再是明星了，再來修車，我也會像今天一樣接待您。人與人之間不應該是這樣嗎？」

他沉默了。在這個普通的女工面前，他感覺到自己的淺薄與狂妄。

「小姐，謝謝！您讓我受到了一次很好的教育。現在，我送您回去。再要修車的話，我還會來找您。」

對權貴和名流的崇拜，只能給我們自己帶來兩種結果：第一是對自卑心的安慰，第二是對自尊心的褻瀆。

人生而平等，生活中的每個人都一樣重要，我們有什麼必要降低自己的人格去向權貴和名流表達平白無故的敬意？

恪守本分，不卑不亢，如此做人才不喪失尊嚴。可是，生活裡有多少人能夠這樣？

「芬克斯」酒吧的原則

有一位名叫羅斯恰爾斯的猶太人，在耶路撒冷開了一家名為「芬克斯」的酒吧。酒吧的面積不大，只有三十平方公尺，但它卻聲名遠揚。

有一天，他接到一個電話，那人用十分委婉的口氣和他商量說：「我有十個隨從，他們將和我一起前往你的酒吧。為了方便，你能謝絕其他顧客嗎？」

羅斯恰爾斯毫不猶豫地說：「我歡迎你們來，但要謝絕其他顧客，這不可能。」打電話的不是別人，是美國國務卿基辛格博士。他是在訪問中東的議程即將結束時，在別人的推薦下，才打算到「芬克斯」酒吧的。

基辛格最後坦言告訴他：「我是出訪中東的美國國務卿，我希望你能考慮一下我的要求。」羅斯恰爾斯禮貌地對他說：「先生，您願意光臨本店我深感榮幸，但是，因您的緣故而將其他人拒之門外，我無論如何也辦不到。」

基辛格博士聽後，摔掉了手中的電話。第二天傍晚，羅斯恰爾斯又接到了基辛格的電話。首先他對昨天的失禮表示歉意，說明天只打算帶三個人來，只訂一桌，並且不必謝絕其他客人。

羅斯恰爾斯說：「非常感謝您，但是我還是無法滿足你的要求。」

基辛格很意外，問：「爲什麼？」

「對不起，先生，明天是星期六，本店休息。」

「可是，後天我就要回美國了，您能否破例一次呢？」

羅斯恰爾斯很誠懇地說：「不行，我是猶太人，您該知道，禮拜六是個神聖的日子，如果經營，那是對神的玷污。」

基辛格無言以對，他只好無奈地離開了耶路撒冷，至今也沒能在中東享受這家小酒吧的服務。

這個故事，可能很多人不信，但事實確是這樣。這家小酒吧連續多年被美國《新聞周刊》列入世界最佳酒吧前十五名。一個只有三十平方公尺的小酒吧，竟能享受如此之高的美譽，的確令人驚訝。但當你讀過？相信了這個故事之後，恐怕對其中原因就不言自明了。

在羅斯恰爾斯的身上體現了一種十分珍貴的品質，那就是：拒絕的勇氣。在需要拒絕的時候，他敢於拒絕任何人——包括基辛格那樣的高官和權貴。

拒絕是一門最棘手的藝術。它經常被認為是一種不善的行為，其實，拒絕有時候恰恰是一種美德。

只有那些能夠在適當的時候拒絕一些東西的人，生活才能過得灑脫自尊。

學會拒絕，學會說NO。

這是詹姆斯的兒子

有一年夏天，拉姆的父親叫他去爲自己的農場買些鐵絲和修柵欄用的木材。當時拉姆十六歲，特別喜歡駕駛自家那輛「追獵」牌小貨車。但是這一次他的興致可不是那麼高，因爲父親要他去一家商店賒貨。

十六歲是滿懷傲氣的年齡，一個年輕人想要得到的是尊重而不是憐憫。當時是一九七六年，美國人的生活中到處仍籠罩著種族主義的陰影。拉姆曾親眼目睹過自己的朋友在向店老闆賒賬時屈辱地低頭站著，而商店的老闆則趾高氣揚地盤問他是否有償還能力。拉姆知道，像他這樣的黑人青年一走進商店，售貨員就會像看賊一樣地盯著他。拉姆的父親是個非常守本分的人，從來沒有欠賬不還的情況。但誰知道別人會不會相信他們？

拉姆來到戴維斯百貨商店，只見老闆巴克·戴維斯站在出納機後面，正在與一位中年人談話。老闆是位高個子男人，看上去飽經風霜。拉姆走向五金櫃檯時，慌張地對老闆點了點頭。拉姆花了很長時間選好了所需要的商品，然後有點膽怯地拿到出納機前。他小心地對老闆說：「對不起，戴維斯先生，這次我們得賒賬。」

那個先前和戴維斯談話的中年人向拉姆投來輕蔑的一瞥，臉上立刻露出鄙視的神色。然而戴維斯先生的表情卻沒有任何變化，他很隨和地說：「行，沒問題。你父親是一位講信用的人。」說著，他又轉向中年人，手指著拉姆介紹道：「這是詹姆斯．威廉斯的兒子。」

就是在那一天，詹姆斯．威廉斯的兒子，一個十六歲的少年，發現一個好名聲竟然能夠給一個人帶來如此意想不到的收穫。他父母所獲得的好名聲，不僅使他們全家人贏得了鄰居們的尊敬，而且還為他將來的創業奠定了良好的基礎。

好名聲是一筆財富，它的價值是任何數字都無法表達的。

如果……那麼……

這是諾貝爾文學獎得主吉卜林寫給他十二歲兒子的一首詩：

如果在眾人六神無主之時，你能鎮定自若而不是人云亦云；
如果被眾人猜忌懷疑時，你能自信如常而不去妄加辯論；
如果你有夢想，又能不迷失自我；
如果你有神思，又不至於走火入魔；
如果在成功之時能不喜形於色，而在災難之後也勇於咀嚼苦果；
如果看到自己追求的美好破滅爲一堆零碎的瓦礫，也不說放棄；
如果辛苦勞作已是功成名就，爲了新目標依然冒險一搏，哪怕功名化爲烏有；

如果你跟村夫交談而不變謙恭之態，和王侯散步而不露諂媚之顏；

如果他人的意志左右不了你；

如果你與任何人爲伍都能卓然獨立；

如果昏惑的騷擾動搖不了你的信念，你能等自己平心靜氣，再作應對——

那麼，你的修養就會如天地般博大，而你，就是一個眞正的男子漢了，我的兒子！

這是一個父親對兒子的殷切期望，它代表了天下父母對子女的共同情懷。可是，所有為人之父、為人之母者，當我們閱讀這首詩的時候，有幾個人能無愧地說：我就是這樣！

倘若我們的所為使自己還不能這樣自信，那麼，從現在起，每天看著孩子的眼睛，和他們一起朗誦這首詩吧！

紅色玻璃球

愛達荷州東南部的一個小鎮上，有一位名叫米勒斯的小蔬菜商。在經濟大蕭條的時期，米勒斯先生總是在路邊擺一個小菜攤，鎮上的人辦完事回家時，就順便到這裡採購一些新鮮的蔬菜。當時食品和錢都極度緊缺，物物交換就被廣泛採用了。

在鎮上，有幾個家裡很窮的孩子，他們經常光顧米勒斯先生的菜攤。不過，他們似乎並不想購買什麼東西，只是來欣賞那些在當時非常珍貴的物品。儘管如此，米勒斯先生總是熱情地接待他們，就像對待每一個來買菜的大人一樣。

「你好，巴里！今天還好吧？」

「你好，米勒斯先生。我很好，謝謝。那些豌豆看起來真不錯。」

「可不是嘛。巴里，你媽媽身體怎麼樣？」

「還好。一直在好轉。」

「那就好。你想要點什麼嗎？」

「不，先生。我覺得你的那些豌豆眞新鮮呀！」

「你要帶點兒回家嗎？」

「不，先生。我沒錢買。」

「你有什麼東西和我交換嗎？用東西交換也可以呀！」

「哦……我只有幾顆贏來的玻璃球。」

「眞的嗎？讓我看看。」

「給你看。這是最好的。」

「看得出來。嗯，只不過這是個藍色的，我想要個紅色的。你家裡有紅色的嗎？」

「可能有吧！」

「這樣，你先把這袋豌豆帶回家，下次來的時候讓我看看那個紅色玻璃球。」

「一定。謝謝你，米勒斯先生。」

每次米勒斯先生和這些小顧客交談時，米勒斯太太就會默默地站在一旁，面帶微笑地看著他們談判。她熟悉這種遊戲，也理解丈夫所做的一切。鎮上還有兩個像巴里一樣的小男孩，這三個孩子的家境都非常不好，他們沒有錢買菜，也沒有任何值錢的東西可以交換。爲了幫助他們，又要顯得自然，米勒斯就這樣假裝著和他們爲一個玻璃球討價還價。就像巴里，這次他有一個藍色的玻璃球，可是米勒斯先生想要紅色的；下次他一定會帶著紅玻璃球來，到時候米勒斯又會讓他再換個綠的或桔紅的來。當然打發他回家的時候，一定會讓他帶上一袋子上好的蔬菜。

多少年過去了，米勒斯先生因病去世。鎮上所有的人都去向他的遺體告別，並向米勒斯太太表示慰問，包括那些年幼的孩子。在長長的告別隊伍前面，有三個引人注目的小夥子，一位身著戎裝，另兩位頭戴禮帽，身著筆挺的黑西服白襯衫，相當體面莊重。

米勒斯太太站在丈夫的靈柩前。小夥子們走上前去，逐一擁抱她，親吻她的面頰，和她小聲地說幾句話。然後，她淚眼濛濛地目視他們在靈柩前停留，看著他們把自己溫暖的手放在米勒斯先生冰冷蒼白的手上。這三個小夥子就是當年經常用玻璃球之類的小玩藝，和米勒斯先生交換蔬菜食品的那幾個窮孩子。在同米勒斯先生太太握手慰問的時候，他們告訴她，他們多麼感激米勒斯先生，感謝他當年「換給」他們的東西。

現在，米勒斯先生再也不會再對玻璃球的顏色和大小改變主意了，這三個孩子也再不需要他接濟度日，但是，他們永遠都不會忘記他。雖然米勒斯先生一生從沒發過大財，可是現在，他完全有理由認爲，自己是愛達荷州最富有的人。在他已經失去生命的右手裡，正握著三顆晶瑩閃亮的紅色玻璃球。

同情心是可貴的，但同情常常會不自覺地演變為對自我的炫耀和對他人的可憐。如果是這樣，同情已不是同情，同情就變成了虛榮和輕視。

付出了同情又不流露，這是平常人難以做到的。米勒斯先生做到了，因為他付出的不僅是同情，還有愛。

皮斯阿司的結局

西元前四世紀，在義大利，有一個名叫皮斯阿司的年輕人觸犯了法律被判絞刑，將在某個擇定的日子被處死。皮斯阿司是個孝子，在臨死之前，他希望能與遠在百里之外的母親見最後一面，以表達他對母親的歉意，因爲他再也不能孝敬母親了。

他的這一要求被國王准許了，但交換條件是，皮斯阿司必須找一個人來替他坐牢。這是一個看似簡單其實近乎不可能做到的條件。假如皮斯阿司一去不返怎麼辦？誰願意冒著被殺頭的危險來幹這件蠢事呢？

這個消息傳出後，有一個人表示願意來替換坐牢——他就是皮斯阿司的朋友達蒙。

達蒙住進牢房以後，皮斯阿司就趕回家與母親訣別，人們都靜靜地等著事態的發展。日子如水一樣流逝，眼看刑期在即，皮斯阿司卻音訊全無。人們一時間議論紛紛，都說達蒙上了皮斯阿司的當。

行刑日是個雨天，因爲皮斯阿司沒有如期歸來，只好由達蒙替死。當達蒙被押赴刑場時，圍觀的人都笑他是個傻瓜。也有人對他產生了同情，更多的人卻是幸災樂禍。但刑車上的達蒙，不但面無懼色，反而有一種慷慨赴死的豪情。

追魂炮被點燃了，絞索已經掛在達蒙的脖子上。膽小的人嚇得緊閉了雙眼，他們在內心深處爲達蒙惋惜，並痛恨那個出賣朋友的小人皮斯阿司。

千鈞一髮之際，在淋漓的風雨中，皮斯阿司飛奔而來！他高聲喊著：「我回來了！我回來了！」這眞正是人世間最最感人的一幕，大多數人都以爲自己是在夢中，但事實不容懷疑，皮斯阿司已經衝到達蒙的身邊，他們緊緊地擁抱在一起。

大概只是一會兒的工夫，國王便知道了這件事。他親自趕到刑場，要親眼看一看自己如此優秀的子民。喜悅萬分的國王立即爲皮斯阿司鬆了綁，親口赦免了他，並且重重地獎賞了他的朋友達蒙。

真正的朋友需要信任，這就是達蒙為什麼敢代人坐牢的緣故；真正的朋友更需要忠誠，所以，皮斯阿司本可逃脫一死，仍然視死如歸。因為忠誠，才得信任；因為有信任，才必須要有忠誠。

忠誠和信任缺少一個，這個故事的結局就會完全改寫。

一美元小費

第一次走出鄉村的米莎太太，拖著兩個很大的行李箱，走進了候機大廳。環顧四周，尋覓了半天，也沒有找到說好要來接她的侄子。她輕嘆了一口氣，只好坐下來等候。

因爲剛剛做過腎臟手術，米莎太太一直要頻繁地上廁所，可是她又不敢丟下行李箱不管。她帶的許多東西雖然不很値錢，但卻很珍貴，因爲那是她給遠在都市裡的親友們積攢了多年的禮物。她只得一邊忍耐著，一邊焦急地東張西望，盼著侄兒早點出現。

「太太，需要幫忙嗎？」一個坐在旁邊候機的年輕人，面帶微笑地問她。

「哦，不，暫時不需要。」米莎打量了年輕人一眼。

身著休閒服的年輕人掏出一本書，專心致志地閱讀起來。

「這個不守時的傢伙，等會兒非得訓斥他不可。」米莎太太開始埋怨起來。

又過了一會兒，米莎太太實在忍不住了，她向身旁的年輕人懇求道：「請幫我照看一下行李，我去一趟洗手間。」

年輕人非常愉快地點了點頭。

米莎太太很快回來了，她感激地掏出一美元，遞給年輕人：「謝謝你幫我照看東西，這是你應得的報酬。」

望著老人一臉的認真，年輕人回一聲「謝謝」，接過錢放進了衣兜。

這時，米莎太太的侄子快步從門口走了進來，他剛要解釋遲到的原因，忽然驚喜地衝著老人身旁的年輕人叫道：「你好，蓋茨先生。沒想到你會在這裡候機！」

「哦，是的。我的工作需要我經常到處跑。」年輕人收起書，準備去驗票口驗票。

「哪個蓋茨？」米莎太太不解地追問道。

「就是我常常跟您說起的世界首富，微軟公司總裁比爾・蓋茨先生啊！」

「啊，我剛才還給過他一美元的小費呢。」米莎太太滿臉自豪地說。

「他眞的接受了你一美元的小費嗎？」侄子驚訝地張大了嘴巴。

「沒錯，我很高興今天在候機的時候還有一美元的收入，因爲我幫助這位太太做了一件很小的事。」蓋茨回頭坦然地答道。

一美元是微不足道的，但在這裡，它卻表現出了金錢最純正的品質：在清貧的鄉村老婦米莎太太眼裡，那是對一種勞動必須支付的報酬；而對於身家數百億美元的世界首富蓋茨來說，接受這一美元，是對一份真誠謝意的禮貌回應和尊重。

迪卡尼奧的放棄

在英國的曼徹斯特城，英格蘭超級足球聯賽第十八輪的一場比賽在埃弗頓隊與西漢姆聯隊之間進行。比賽只剩下最後一分鐘時，場上的比分仍然是一：一。

這時，埃弗頓隊的守門員傑拉德在撲球時膝蓋扭傷，巨痛使得他將四肢抱成一團在地上滾動，而足球恰好被傳給了潛伏在禁區的西漢姆聯隊球員迪卡尼奧。

球場上原來的一片沸騰頓時肅靜下來，所有的人都在等待。迪卡尼奧離球門只有十二公尺左右，無需任何技術，只要一點點力量，就可以把球從容打進對方球門。那樣，西漢姆聯隊就將以二：一獲勝，在積分榜上，他們因此可以增加兩分。

埃弗頓隊之前已經連敗兩場，這個球一進，他們就將遭受苦澀的「三連敗」。

在幾萬現場球迷的注視下——如果算上電視機前的觀眾，應該是數百萬人的注視下，西漢姆聯隊的迪卡尼奧沒有用腳踢球，而是將球抱在了懷中。

掌聲，全場雷動的掌聲，如潮水般滾動的掌聲，把讚美之情獻給了放棄射門的迪卡尼奧，或者說，是獻給迪卡尼奧體現出來的崇高的體育精神——和平、友誼、健康、正義！

二次大戰時還發生過這樣一件事：黎明時分，一個士兵伏在戰壕裡，手握著上膛的槍瞄著敵人的方向。這時候，對方陣地上走出了一個人。士兵正要扣動扳機，突然發現那個人沒有帶槍，而且已經鬆掉褲子開始小便。士兵放開了扣扳機的手指，他想：我不能向一個沒帶槍而且正在小便的人射擊，這是不公平的。

這個故事裡的士兵，其行為邏輯和迪卡尼奧十分相似。他們這樣做，不能被解釋為善良，實際上是一種比善良更理性的正義。

對一個人來說，善良是可貴的；但對一個世界來說，正義具有更崇高的精神價值。因為多數時候，人們並不缺少善良，卻缺少正義。

神父的懺悔

神父很苦惱，事情的起因是由於一個男人在他面前作過一次懺悔。

「實話相告，我是個殺人犯。」

那男人坦白說，他是一起殺人案中眞正的凶手，而該案的嫌疑犯已被逮捕並判處死刑。神父本應該向警察局報告這件事的眞相，可是他的教規嚴禁將懺悔者的秘密洩漏他人。

他不知如何是好。如果就這樣保持沉默，一個無辜的人即將冤死，這會使他良心不安。但是要打破教規，這對於發誓將一生獻給上帝的他來說，無論如何也做不到。他陷入了進退兩難之中。

最後，他決定保持沉默。於是，他來到另一個神父的面前懺悔。

「我將眼看著一個無辜的人被處死……」

他陳述了事情的來龍去脈。

這位神父朋友也爲難了。想來想去，他也決定保持沉默。爲了逃避良心的譴責，他又向另外一個神父懺悔……

在刑場上，神父問死囚：「你還有什麼要說的嗎？」

「我沒有罪，我冤枉！」死囚叫道。

「這我知道。」神父回答，「你是無辜的，全國的神父都知道。但是，我們有什麼辦法呢？」

每個人一生中都見證過無數真相，見證過無數醜聞，但因為這些事與己無關，或者與己有關同時也關係他人，為了明哲保身免擔風險，就選擇沉默。

沉默是一種推卸責任的方式，就如故事中的神父。這樣的神父多了，人類的良知就淪喪了。

細節中的人生

傑克和湯姆經過一家五星級飯店，看到一輛豪華轎車停在門口。傑克不屑地對湯姆說：「據我所知，坐這種車的人，腦子裡一定沒有什麼學問！」湯姆則輕描淡寫地回答：「據我所知，說這種話的人，口袋裡一定沒有多少錢！」

◎不同的人會有不同的立場，而不同的立場總是和不同的處境有關。

晚飯後，母親和女兒一塊兒在廚房洗碗，父親和兒子在客廳看足球賽。突然，廚房裡傳來瓷盤落地的破碎聲，然後一片沉寂。

兒子望著父親，說道：「一定是媽媽打破的。」

「你怎麼知道？」

「這回她沒有罵人。」

◎人們總是習慣以不同的標準來對人對己，往往是責人以嚴，待己以寬。

有兩個觀光團到日本伊豆半島旅遊，這裡路況很壞，到處都是密密麻麻的坑洞。其中一位導遊一路連聲抱歉，說這路面簡直太壞了，請多多包涵。而另一個導遊卻詩意盎然地對遊客說：「諸位女士先生請注意，我們現在走過的這條道路，正是聞名遐邇的伊豆迷人的酒窩大道！」

◎雖是同樣的情況，然而不同的意念，就會產生不同的效果。思想是奇妙的，如何去想，決定權在你自己。

小學三年級學生漢斯，在作文中說，他將來的志願是當一名雜技團的小丑。一位老師的批示是：「爲什麼不想當總統？」另一個老師看了後則說：「願你把歡笑帶給世界！」

◎每個人都有自己的人生選擇，熱愛和快樂才是選擇的最好依據。

有一位女士在首飾店裡看到兩隻一模一樣的手環，一個標價五百五十美元，另一個卻只標價二百五十美元。她大爲欣喜，立刻買下二百五十美元的那一隻。一位店員神秘地對另一位店員說：「這是一種永遠都不過時的促銷手段。」

◎世上總是有各種各樣的陷阱，但吃虧上當的通常是性情貪婪的人。

有一位表演大師上場前，他的弟子告訴他鞋帶鬆了。大師點頭致謝，蹲下來認眞繫好。等到弟子轉身後，他又蹲下來將鞋帶解鬆。有個旁觀者看到了這一切，不解地問：「大師，您爲什麼又要將鞋帶解鬆呢？」

大師回答道：「因爲我扮演的是一位勞累的旅人，讓他的鞋帶鬆開，可以表現他長途跋涉的勞累憔悴。」

「那你爲什麼不直接告訴你的弟子呢？」

「他能細心地發現我的鞋帶鬆了，並且熱心地告訴我，說明他很關心我，我要保護他這種熱情，及時地給他鼓勵。至於將鞋帶鬆開的原因，將來會有很多機會告訴他。」

◎眞正的智者，是既知道是非，又知道怎樣恰當表達是非觀點的人。

想知道一個人的品性，就去看他在日常生活中流露的細節。

你想掩飾一些不好的東西，但你身上的細節卻會無情地展示它們。

夢想

妝點歲月的風景

我和你媽媽都希望能經常聽到你們的寶貴意見，因爲當父母我們也並不內行，我們還需要學習，需要不斷改進。你們的建議或許對我們會有直接的幫助。

當一塊石頭有了願望

一位名叫希瓦勒的鄉村郵遞員，每天徒步奔走在各個村莊之間。有一天，他在崎嶇的山路上被一塊石頭絆倒了。

他發現，絆倒他的那塊石頭樣子十分奇特。他拾起那塊石頭，左看右看，有些愛不釋手了。

於是，他把那塊石頭放進自己的郵包裡。村子裡的人們看到他的郵包裡除了信件之外，還有一塊沉重的石頭，都感到很奇怪，便好意地對他說：「把它扔了吧，你還要走那麼多路，這可是一個不小的負擔。」

他取出那塊石頭，炫耀地說：「你們看，有誰見過這樣美麗的石頭？」

人們都笑了：「這樣的石頭山上到處都是，夠你撿一輩子。」

回到家裡，他突然產生一個念頭，如果用這些美麗的石頭建造一座城堡，

那將是多麼美麗啊！

於是，他每天在送信的途中都會找到幾塊好看的石頭，不久，他便收集了一大堆。但離建造城堡的數量還遠遠不夠。

於是，他開始推著獨輪車送信，只要發現中意的石頭，就會裝上獨輪車。此後，他再也沒有過上一天安閒的日子。白天他是一個郵差和一個運輸石頭的苦力；晚上他又是一個建築師。他按照自己天馬行空的想像來構造自己的城堡。

所有的人都感到不可思議，認爲他的大腦出了問題。

二十多年以後，在他偏僻的住處，出現了許多錯落有致的城堡，有清眞寺式的、有印度神教式的、有基督教式的……當地人都知道有這樣一個性格偏執、沉默不語的郵差，在幹一些如同小孩建築沙堡的遊戲。

一九〇五年，法國一家報社的記者偶然發現了這群城堡，這裡的風景和城堡的建造格局令他慨嘆不已。爲此寫了一篇介紹希瓦勒的文章。文章刊出後，希瓦勒迅速成爲新聞人物。許多人都慕名前來參觀，連當時最有聲望的大師級人物畢卡索也專程參觀了他的建築。

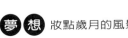

現在，這個城堡已成爲法國最著名的風景旅遊點，它的名字就叫做「郵遞員希瓦勒之理想宮」。

在城堡的石塊上，希瓦勒當年刻下的一些話還清晰可見，有一句就刻在入口處的一塊石頭上：「我想知道一塊有了願望的石頭能走多遠。」

據說，這就是那塊當年絆倒過希瓦勒的第一塊石頭。

當一塊石頭有了願望，它就不再是石頭，也不再靜臥在泥土之中。

如果讓生命中的每一樣東西都擁有願望，我們的人生將會多麼絢麗！

首先，我們自己要有願望——沒有願望就沒有奇蹟。

奇蹟誕生的途徑

一九六八年的春天，羅伯特．舒樂博士立志在加州用玻璃建造一座水晶大教堂，他向著名的設計師菲力普．約翰遜表達了自己的構想：「我要的不是一座普通的教堂，我要在人間建築一座伊甸園。」

約翰遜問起他的預算情形，舒樂博士堅定而明快地說：「我現在一分錢也沒有，所以一百萬美元與一千萬美元的預算對我來說沒有區別。重要的是，這座教堂本身要具有足夠的魅力來吸引捐款。」

教堂最終的預算爲七百萬美元。七百萬美元對當時的舒樂博士來說是一個不僅超出了能力範圍，甚至已經超出了理想範圍的數字。當天夜裡，舒樂博士拿出一頁白紙，在最上面寫上「七百萬美元」，然後又寫下十行字：

◎尋找一筆七百萬美元的捐款

◎尋找七筆一百萬美元的捐款
◎尋找十四筆五十萬美元的捐款
◎尋找二十八筆二十五萬美元的捐款
◎尋找七十筆十萬美元的捐款
◎尋找一百筆七萬美元的捐款
◎尋找一百四十筆五萬美元的捐款
◎尋找二百八十筆二萬五千美元的捐款
◎尋找七百筆一萬美元的捐款
◎賣掉一萬扇窗，每扇七百美元

對七百萬美元進行分解之後，舒樂博士對這個數字有了清晰的概念，而且也有了信心。

六十天後，他用水晶大教堂奇特而美妙的模型打動了富商約翰·科林，使他捐出了第一筆一百萬美元。

第六十五天，一位傾聽了舒樂博士演講的農民夫婦，捐出第一筆一千美元。

第九十天時，一位被舒樂博士孜孜以求的精神所感動的陌生人，在生日的

當天寄給舒樂博士一張一百萬美元的銀行支票。

八個月後，一名捐款者對舒樂博士說：「如果透過你的誠意與努力能籌到六百萬美元，剩下的一百萬美元由我來支付。」

第二年，舒樂博士以每扇七百美元的價格，請求美國人名譽認購水晶教堂的窗戶，付款的辦法爲每月五十美元，十個月分期付清。六個月內，一萬扇窗全部售出。

一九八〇年九月，歷時十二年，可容納一萬多人的水晶大教堂竣工，成爲世界建築史上的奇蹟與經典，也成爲世界各地前往加州的人必去瞻仰的勝景。水晶大教堂最終的造價爲二千萬美元，全部是舒樂博士一點一滴籌集而來的。

不是每個人都要建一座水晶大教堂，但是，每個人都可以建造自己夢想的大廈。

每個人都可以攤開一張白紙，敞開心扉，寫下十個甚至一百個夢想，然後再寫下十個或一百個實現夢想的途徑。最終你會發現，創造奇蹟並不見得有多難。

假如眞的希望飛翔

一百多年前，一位窮苦的牧羊人帶著兩個幼小的兒子替別人放羊。

有一天，他們趕著羊來到一座山坡上，一群大雁鳴叫著從天空飛過，很快消失在遠方。

牧羊人的小兒子問父親：「大雁要往哪裡飛？」牧羊人說：「它們要去一個溫暖的地方，在那裡安家，度過寒冷的冬天。」大兒子眨著眼睛羨慕地說：「要是我們也能像大雁那樣飛起來就好了。」小兒子也說：「要能做一隻會飛的大雁多好啊！」

牧羊人沉默了一會兒，然後對兒子說：「只要你們想，你們也能飛起來。」兩個兒子試了試，都沒能飛起來，他們用懷疑的眼神看著父親。牧羊人說：「讓我飛給你們看。」於是他張開雙臂，學著大雁的樣子，但也沒能飛起

來。可是，牧羊人肯定地說：「我因爲年紀大了才飛不起來，而你們還太小。只要不斷努力，將來就一定能飛起來，到那時，你們就可以去任何想去的地方。」

兩個兒子牢牢記住了父親的話，並一直不懈地努力著。等到他們長大——哥哥三十六歲，弟弟三十二歲時——兩人果真飛起來了，因爲他們發明了飛機。

這個牧羊人的兩個兒子，就是美國著名的萊特兄弟。

信念是一支火把，它可以燃起一個人的激情和潛能，讓他飛入夢想的天空。

有時我們也會說：「我想……」但是，我們只是「說」而沒有「想」。

如果真的「想」，還一定會付諸行動——而且一直朝著「想」的方向。

沙子的命運

很久很久以前，有一個養蚌人，他想培育一顆世界上最大最美的珍珠。

他去大海的沙灘上挑選沙粒，並且一顆一顆地問它們，願不願變成珍珠。那些被問的沙粒，一顆一顆都搖頭說不願意。養蚌人從清晨問到黃昏，得到的都是同樣的結果，他快要絕望了。

就在這時，有一顆沙子答應了。因爲，它一直想成爲一顆珍珠。旁邊的沙粒都嘲笑它，說它太傻，去蚌殼裡住，遠離親人朋友，見不到陽光、雨露、明月、清風，甚至還缺少空氣，只能與黑暗、潮濕、寒冷、孤寂爲伍，多麼不值得！

那顆沙子還是無怨無悔地隨養蚌人去了。

斗轉星移，幾年過去了，那顆沙子已長成了一顆晶瑩剔透、價值連城的珍

珠，而曾經嘲笑它的那些夥伴們，有的依然是海灘上平凡的沙粒，有的已化爲塵埃。

如果說這世上有「點石成金術」的話，那就是「艱辛」。你忍耐著，堅持著，當走完黑暗與苦難的隧道之後，就會驚訝地發現，平凡如沙子的你，不知不覺中已長成了一顆珍珠。

不要去嫉妒珍珠，當初它選擇成為珍珠的時候，別人都不願意。也不必過分去仰慕珍珠，畢竟每個人都有自己的人生，沙子也有沙子的幸福，雖然它不能閃光。

記住這樣的一些話

◎生活裡的每一個人都是你的老師，即使那些讓你很厭煩的人也不例外，因為從他們身上，你可以知道人性的弱點。

◎快樂的人不只接受改變，而且會欣然地全身心投入。他們會說：「未來五年如果像過去五年一樣，生活還有什麼意思呢？」

◎付出的時候，不要期待任何回報，否則一顆心老是牽掛著結果，反而很難有所收穫。

◎許多人都不知道自己究竟想要什麼——他們很不開心，因為他們沒有什麼人生目的。假如你也不知道自己想要什麼，不妨先找出最接近你理想的事，可以把那裡作為起點。

◎做你愛做的事，並不意味著生活過得輕鬆，但絕對可以活得更精采。

◎無論你身在何處，你都不應該被困在原地，因爲你是一個人，不是一棵樹！

◎當你說「我就是要做這件事，多困難我都不在乎」時，老天爺就會開始支持你。

◎你對生活狀況及別人的行爲要求越少，你就越容易快快樂樂地過日子。

◎若眞想獲得心靈平靜，就必須懂得心存感激。如果你總說「等我生活得好一點之後，我一定會去感激，」那你就一輩子沒希望了！

◎改變自己是可行的、聰明的，當你試圖改變別人時，你就會顯得愚蠢，而且會自尋煩惱。

◎除非你自願放棄，否則你永遠不會被打敗。

◎被小石子打中，如果不能及時醒悟，一味置之不理，就會被大石頭狠狠擊中。只要老老實實捫心自問，我們都可以找到出現問題的徵兆。但我們還是會執迷不悟地說：「爲什麼老是我遭殃？」

◎你不必害怕和人接觸，很有可能他們也很怕你呢！

◎稱讚別人會令你自己更快樂。稱讚別人會幫助你把注意力放在正面的事物上。每當你將焦點放在正面的事物上，你的生活就會充滿希望。

一個人一輩子可能會聽到無數的告誡和勸諫。

如果你是用心的人，有時一句話就足以讓你受益終生。

未來我是——

有個叫布羅迪的英國教師，在整理閣樓上的舊物時，發現了一疊練習冊，它們是皮特金幼稚園B（二）班三十一位孩子的春季作文，題目叫：未來我是——

他本以爲這些東西在德軍空襲倫敦時，早已被炸毀了。沒想到，它們竟安然地躺在一隻木箱裡，並且一躺就是五十年。

布羅迪隨手翻了幾本，很快被孩子們千奇百怪的自我設計迷住了。比如有個叫彼得的小傢伙說，未來的他是海軍大臣，因爲有一次他在海中游泳，喝了大約三升海水都沒被淹死；還有一個說，自己將來必定是法國的總統，因爲他能背出二十五個法國城市的名字，而其他同學最多只能背出七個；最讓人稀奇的是一個叫戴維的小盲童，他認爲，將來他必定是英國的內閣大臣，因爲在英

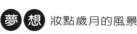

國還沒有一個盲人進入內閣……

總之，三十一位孩子都在作文中描繪了自己的未來，有想當馴狗師的、有想當領航員的、有要做王妃的——五花八門，應有盡有。

布羅迪讀著這些作文，突然產生一種衝動——何不把這些練習本重新發到同學們手中，讓他們看看現在的自己是否實現了五十年前的夢想？

當地一家報紙得知布羅迪的這一想法，為他發了一則啓事。沒幾天，書信從各地向布羅迪飛來。他們中間有商人、學者及政府官員，更多的是沒有身分的人，他們都表示，很想知道自己兒時的夢想，並且很想得到當年的作文簿。布羅迪按地址一一給他們寄去了練習簿。

一年後，布羅迪身邊僅剩下一本作文簿無人索要，他想，這個叫戴維的小盲童也許死了。畢竟五十年了，五十年什麼事都會發生的。

就在布羅迪準備把這個本子送給一家私人收藏館時，他收到內閣教育大臣布倫克特的一封信。他在信中說：「那個叫戴維的人就是我，感謝您還為我們保存著兒時的夢想。不過我已經不需要那個本子了，因為從那時起，我的夢想就一直珍藏在我的腦子裡，沒有一天忘記過。五十年過去了，可以說我已經實踐了夢想。今天，我還想透過這封信告訴其他的同學，只要不讓年輕時的夢想隨歲月飄逝，成功總有一天會出現在你的面前。」

布倫克特的這封信後來發表在《太陽報》上，他作為英國第一位盲人大臣，用自己的行動證明了一個真理：誰能把三歲時想當總統的願望保持五十年，那麼到那時，他一定就是總統了。

產生一個願望並不難，難的是將它保持下去。我們有毅力將一個願望保持五十年嗎？

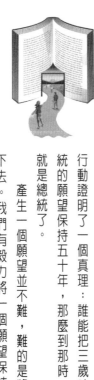

二十六個孩子和一道選擇題

在新澤西州市郊的一座小鎮上，一個由二十六個孩子組成的班級被安排在教學樓最裡面一間光線昏暗的教室裡。他們中所有的人都有過不光彩的歷史：有人吸過毒、有人進過管教所、有一個女孩子甚至在一年之內墮過三次胎。家長拿他們沒辦法，老師和學校也幾乎放棄了他們。

就在這個時候，一個叫菲拉的女教師擔任了這個班的輔導老師。新學年開始的第一天，菲拉沒有像以前的老師那樣，首先對這些孩子進行一頓訓斥，給他們一個下馬威，而是爲大家出了一道題：

有三個候選人，他們分別是——

A：篤信巫醫，有兩個情婦，有多年的吸煙史，而且嗜酒如命；

B：曾經兩次被趕出辦公室，每天要到中午才起床，每晚都要喝大約一公升的白蘭地，而且曾經有過吸食鴉片的紀錄；

C：曾是國家的戰鬥英雄，一直保持素食習慣，熱愛藝術，偶爾喝點酒，年輕時從未做過違法的事。

菲拉給孩子們的問題是：

如果我告訴你們，在這三個人中，有一位會成爲眾人敬仰的偉人，你們認爲會是誰？猜想一下，這三個人將來各自會有什麼樣的命運？

對於第一個問題，毋庸置疑，孩子們都選擇了C；對於第二個問題，大家的推論也幾乎一致：A和B將來的命運肯定不妙，要嘛成爲罪犯，要嘛就是需要社會照顧的廢物。而C呢，一定是一個品德高尚的人，注定會成爲菁英。

然而，菲拉的答案卻讓人大吃一驚。「孩子們，你們的結論也許符合一般的判斷，但事實是，你們都錯了。這三個人大家都很熟悉，他們是二次大戰時期的三個著名的人物——A是佛蘭克林・羅斯福，他身殘志堅，連任四屆美國總統；B是溫斯頓・丘吉爾，英國歷史上最著名的首相；C的名字大家也很熟悉，他叫阿道夫・希特勒——，一個奪去了幾千萬無辜生命的法西斯元首。」

學生們都呆呆地瞅著菲拉，他們簡直不相信自己的耳朵。

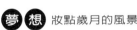

「孩子們，」菲拉接著說，「你們的人生才剛剛開始，以往的過錯和恥辱只能代表過去，眞正能代表一個人一生的，是他現在和將來的所作所爲。每個人都不是完人，連偉人也有過錯。從過去的陰影裡走出來吧，從現在開始，努力做自己最想做的事情，你們都將成爲了不起的優秀的人才……。

菲拉的這番話，改變了二十六個孩子一生的命運。如今這些孩子都已長大成人，他們中有的做了心理醫生、有的做了法官、有的做了飛行員。値得一提的是，當年班裡那個最矮也最搗亂的學生羅伯特・哈里森，後來成了華爾街上最年輕的基金經理人。

「原來我們都覺得自己已經無可救藥，因爲所有的人都已經這麼認爲。是菲拉老師第一次讓我們覺醒：過去並不重要，我們還有可以把握的現在和將來。」孩子們長大後這麼說。

有一位心理學家說過這樣的話：你對孩子怎樣描述，他們就怎樣以你描述的樣子成長。你說他是個無賴，他就會慢慢變得像個無賴；你說他聰明，他就可能真的變得十分聰明。

許多成人不斷在用自己的偏見扼殺孩子的美質，他們自己卻一點兒都不知道。

我想有一座農場

因爲父親是位馬術師，一個男孩必須跟著父親走南闖北東奔西跑。由於四處奔波，他求學並不順利，成績也不理想。

有一天，老師要全班同學寫作文，題目是「長大後的志願」。那一晚，男孩洋洋灑灑寫了七張紙，描述了他的偉大志願：長大後，我想擁有自己的農場，在農場中央建造一棟佔地五千平方英尺的住宅，擁有很多很多的牛羊和馬匹。第二天他把作業交上去時，老師給他打了一個又紅又大的F，還叫他下課後去見他。「老師，爲什麼給我不及格？」他不解地問老師。

「我覺得，你的願望是不切實際的。你敢肯定長大後買得起農場嗎？你怎麼能建造五千平方英尺的住宅？如果你肯重寫一個志願，寫得實際點，我會考慮給你重新打分。」老師回答說。

男孩回家後反覆思量，最後忍不住詢問父親。父親見他猶豫不決，語重心長地說：「兒子，這是個非常重要的決定。我認爲，拿個大紅的F不要緊，但絕不能放棄自己的夢想。」

兒子聽後，牢牢把這句話記在心底。他沒有重寫那篇文章，也沒有更改自己的志願。二十年後，這個男孩眞的擁有了一大片農場，在這個農場的中央眞的建造了一棟舒適而漂亮的豪宅。

這個男孩不是別人，就是美國著名的馬術師傑克．亞當斯。

當我們計劃人生的時候，往往會被他人的意願所左右，從而放棄自己的初衷，這絕對是人生最大的不幸。

人首先要具有為自己負責的膽識和勇氣，然後才可能為他人和大衆負責。假若連自己都無法把握，那麼，他只會一生被人擺布。

杰克．亞當斯一定會永遠感激他的父親，是他的智慧點撥造就了兒子輝煌的一生。

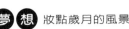

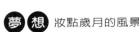

一枚硬幣的祝福

美國著名的喜劇演員大衛・布倫納出身貧寒。小時候，當別的孩子為沒有小汽車、沒有好玩具向父母糾纏不休的時候，他卻在為一頓飯、一雙鞋子發愁。十二歲那年的耶誕節，他的同學幾乎每個人都得到了家長贈送的精美禮品，唯獨他的父親沒有給他任何東西。

那天回到家，大衛顯得很傷感。他小心地告訴父親，自己也想得到一份聖誕禮物。

父親看著兒子，過了好半天，才把手伸進口袋摸出了一枚硬幣。「孩子，這是我送給你的禮物，我希望你去買一樣和別人不同的東西。」正在這時，一個賣報的人從他們的家門口經過，父親說：「去買份報紙吧，或許那上面有你喜歡的故事。」

大衛拿著父親給的錢，眞的買了一份報紙。上面有一篇介紹一位喜劇演員人生經歷的文章，使大衛深受感動。放下報紙，他想，要是我也能做一名喜劇演員該有多好啊！於是，他決定去學喜劇表演。

許多年過去，大衛終於成功了，他成了美國最著名的喜劇表演大師。大衛回憶說：「當時，我以爲父親捨不得拿更多的錢給我買東西，現在才懂得，我的同學們僅僅得到了汽車或者布娃娃，而我卻得到了一個美好人生的夢想。」

這個故事至少可以給我們兩點啓示。

當我們準備送孩子一個昂貴的小汽車時，最好先考慮送給他一個夢想。也許一個夢想只需花一個硬幣，但卻可以享用一生。

有時候，人生就是在偶然間鑄就的，就像大衛．布倫納那樣。但只有偶然還不夠，必須抓住「偶然」提供的靈感，付諸行動，堅持下去。

摩西奶奶的建議

在華盛頓國立女性藝術博物館，曾舉行過一場名爲「摩西奶奶在二十世紀」的畫展。該展覽除展出摩西奶奶的作品外，還陳列了一些來自其他國家有關摩西奶奶的私人收藏品。其中最引人注目的是一張明信片，它是摩西奶奶一九六〇年寄出的，收件人是一位名叫春水上行的日本人。

這張明信片是第一次公布於眾，上面有摩西奶奶畫的一座穀倉和她親筆寫的一段話：做你喜歡做的事，上帝會高興地幫你打開成功之門，哪怕你現在已經八十歲了。

摩西奶奶爲什麼要寫這段話呢？原來這位叫春水上行的人很想從事寫作，他從小就喜歡文學。可是大學畢業後，一直在一家醫院裡工作，這讓他感到很彆扭。

馬上就三十歲了，他不知該不該放棄那份令人討厭卻收入穩定的職業，以便從事自己喜歡的行業。於是他給耳聞已久的摩西奶奶寫了一封信，希望得到她的指點。對於春水上行的信，摩西奶奶很感興趣，因爲過去的大多數來信，都是恭維她或向她索要繪畫作品的，這封信卻是謙虛地向她請教人生問題。雖然當時她已一百歲了，還是立即作了回覆。

摩西奶奶是美國佛吉尼亞州的一位農婦，七十六歲時因關節炎放棄農活，開始了她夢寐以求的繪畫。八十歲時，到紐約舉辦畫展，引起了意外的轟動。她活了一百零一歲，一生留下繪畫作品六百餘幅，在生命的最後一年還畫了四十多幅。

那麼，到底是什麼原因讓人們異常關注那張明信片呢？原來，那張明信片上的春水上行，正是在日本乃至全世界都大名鼎鼎的作家渡邊淳一。也許正是這個原因，每當講解員向參觀的人講解這張明信片時，總要附帶地說上這麼幾句話：你心裡想做什麼，就大膽地去做吧！不要管自己的年齡有多大和現在的生活狀況如何，因爲，你想做什麼和你能否取得成功，與這些沒有什麼關係。

你最願意做的那件事，才是你真正的天賦所在。

人到底該在什麼時候做什麼事，並沒有誰明確規定。如果我們想做，就從現在開始。

有人總說：已經晚了。實際上，「現在」就是最恰當的時候。對一個真正有追求的人來說，生命的每個時期都是年輕的、及時的。

九歲蒂勒的答案

巴拉昂是一位年輕的媒體大亨，以推銷裝飾肖像畫起家。在不到十年的時間裡，迅速躋身於法國五十位首富之列。一九九八年他因前列腺癌在法國博比尼醫院去世。臨終前，他留下遺囑，把四．六億法郎的股份捐獻給博比尼醫院，用於前列腺癌的研究；另將一百萬法郎作爲專項資金，獎給揭開貧窮之謎的人。

巴拉昂去世後，法國《科西嘉人報》刊登了他的遺囑。他說，我曾是一位窮人，去世時卻是一個富人。在去世前，我不想把我成爲富人的秘訣帶走，現在秘訣就鎖在法蘭西中央銀行我的私人保險箱內，保險箱的三把鑰匙在我的律師和兩位代理人手中。誰若能回答「窮人最缺少的是什麼」而猜中我的祕訣，他將能得到我的祝賀。當然，那時我已無法爲他的睿智而歡呼，但是他可以從那只保險箱榮幸拿走一百萬法郎，那就是我給予他的掌聲。

遺囑刊出之後，《科西嘉人報》收到大量的信件，也收到了各種各樣的答案。

絕大部分人認爲，窮人最缺少的是金錢，除此之外還能缺少什麼？還有一部分人認爲，窮人最缺少的是機會，一些人之所以窮，就是因爲沒遇到良機。另一部分人認爲，窮人最缺少的是技能，現在能迅速致富的都是有一技之長者；一些人之所以成爲窮人，就是因爲學無所長。還有的人認爲，窮人最缺少的是幫助和關愛，每個黨派在上台前，都給失業者大量的許諾，然而上台後眞正關心他們的又有幾個？另外還有一些其他的答案，比如：窮人最缺少的是美貌，是皮爾・卡登外套，是寬敞的住房……總之，答案千奇百怪。

在巴拉昂逝世周年紀念日，律師和代理人按他生前的交代，在公證部門的監督下打開了那只保險箱，在四萬八千五百六十一封來信中，有一位叫蒂勒的小姑娘猜對了巴拉昂的秘訣。蒂勒和巴拉昂都認爲：窮人最缺少的是野心。

在頒獎之日，《科西嘉人報》帶著所有人的好奇，問年僅九歲的蒂勒，爲什麼想到是野心，而不是其他的答案？蒂勒說：「每次，我姐姐把她十一歲的

男朋友帶回家時，總是警告我說：不要有野心！不要有野心！我想，也許野心可以讓人得到自己想得到的東西。」

巴拉昂的謎底和蒂勒的回答見報後，引起了世界性的震動。一些好萊塢的新貴和其他行業年輕的富翁在就此話題接受採訪時，也都毫不掩飾地承認：野心是永恆的生命動力，是所有奇蹟燃燒的火種。

野心不是險惡之心，野心是人類挑戰自身惰性時的一種積極的心理狀態，是面向一切看似不可能的事情時敢於問一句「誰說我不行」的勇氣。

一些人之所以貧窮，一些人之所以一事無成，也許的確有其他原因，但誰也不能否認，最大的原因是他們有一個不可救藥的弱點：缺乏野心。

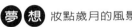

我們不應該貧窮

福勒是美國一個黑人佃農的兒子。他五歲開始勞動，九歲之前以趕騾子為生。他們一家人一直過著貧窮的生活。

福勒有一位不平常的母親，她發現福勒與其他六個孩子不同。這位母親有意識地經常將福勒拉在身邊，跟他談論心中的想法。她反覆地說：「福勒，我們不應該貧窮！我們的貧窮不是由上帝安排的，而是我們家庭中的任何人都沒有產生過出人頭地的想法。」

我們貧窮是因為我們沒有奢望過富裕！這個觀念在福勒的心靈深處刻下了深深的烙印，以致成就了他日後無比輝煌的事業。

福勒改變貧窮的願望像火花一樣迸發出來——他挨家挨戶出售肥皂長達十二年之久，並由此獲得了許多商人的尊敬和讚賞。慢慢地，福勒不僅在最初工

作的那個肥皂公司，而且在其他七個公司都獲得了控股權。福勒獲得了巨大的成功，徹底改變了家庭的貧窮面貌，扭轉了家庭的命運。

哲人說：所有偉大的成就在它開始時都不過是一個想法罷了——不過是一個想法！

無論追求財富，或獲取健康；無論謀求功名，或尋找快樂；無論尋求利益，或追逐自由……如果要達到目的，首先必須有一種強烈的渴望，並鍥而不捨地為之奮鬥。

福勒說過：假如你清楚地知道自己需要什麼，那麼，當你看見它的時候，你就會很快地認識它，並能緊緊地抓住它。

命運其實有兩個部分

自從你生下來的那一刹起，你就注定要回去。

這中間的曲折磨難、順暢歡樂便是你的命運。

命運總是與你一同存在，時時刻刻。

不要敬畏它的神秘，雖然有時它深不可測。

不要畏懼它的無常，雖然有時它來去無蹤。

不要因爲命運的怪誕而俯首聽命，聽任它的擺布。

等你年老的時候，回首往事會發覺，命運有一半在你手中，只有另一半才在上帝的手裡。

你的努力越超常，你手裡掌握的那一半命運就越強大，你的獲得就越豐碩。

在你徹底絕望的時候，別忘了自己擁有一半的命運。

在你得意忘形的時候，別忘了上帝的手裡還握有另一半。

你一生的努力就是：用你自己手中的一半去獲取上帝手中的另一半。

所謂的「與命運抗爭」，就是這個意思。

其實說到底，還是與自己抗爭。

即使上帝真有不公平，至少有一點他是公平的，他將命運交出了一半給所有的人！就這一個條件，就給了我們把握生命的無限空間；就這一個條件，已足以使我們有能力和命運的不公挑戰。

三千萬美元的夢想

芝加哥市一位名叫賽尼・史密斯的中年男子，向當地法院遞交了一份訴狀，要求贖回自己去埃及旅行的權利。因爲它涉及的內容非同尋常，立即引起了人們極大的關注。

事情發生在四十年前，當時賽尼・史密斯才六歲，在威靈頓小學讀一年級。有一天，品行課老師瑪麗・安小姐給學生們一項作業，讓大家各自說出一個未來的夢想。全班二十四名同學都非常踴躍，尤其是賽尼，他一口氣說出兩個：一個是擁有自己的一頭小母牛，另一個是去埃及旅行一次。

當瑪麗・安小姐問到一個名叫傑米的男孩時，不知爲什麼，他竟一下子沒想出夢想，因爲他所想到的，別人都說了。爲了讓傑米也擁有一個自己的夢想，瑪麗・安小姐建議傑米向同學購買一個。於是，在老師的見證下，傑米就用三美分向擁有兩個夢想的賽尼買了一個。由於賽尼當時太想擁有一頭自己的小母牛，於是就讓出第二個夢想——去埃及旅行一次。

四十年過去了，賽尼・史密斯已人到中年，並且在商界小有成就。四十年來，他去過很多地方——瑞典、丹麥、希臘、沙特、中國、日本，然而他從來沒有去過埃及。難道他沒想過去埃及嗎？想過。據他說，從他賣掉去埃及的夢想之後，他就從來沒忘記過這個夢想。然而，作爲一個虔誠的基督徒和一個誠實的商人，他不能去埃及，因爲他已經把這個夢想賣掉了。

現在，他和妻子打算到非洲去旅行，在設計旅行線路時，妻子把埃及的金字塔作爲其中的一個重點觀光項目。賽尼・史密斯再也忍不住了，他決定贖回那個夢想，因爲他覺得只有那樣，他才能坦然地踏上那片土地。

可惜的是，賽尼・史密斯沒有如願。經聯邦法院認定，那個夢想已經價值三千萬美元，賽尼・史密斯要想贖回去，就必須傾家蕩產。其中的緣由，從傑米的答辯狀中可以略知一二。

傑米是這樣說的——

在我接到史密斯先生的律師送達的副本時，我正在打點行裝，準備全家一起去埃及，這好像是我一口回絕史密斯先生要求贖回那個夢想的理由。其實，眞正的理由不是我們正準備去埃及，而是這個夢想本身的價值。

小時候我是個窮孩子，窮到不敢擁有自己的夢想。然而，自從我在瑪麗．安小姐的鼓勵下，用三美分從史密斯先生那裡購買了這個夢想之後，我徹底改變了，我的心靈變得富有了。我不再淘氣，不再散漫，不再浪費自己的光陰，我的學習有了很大進步。我之所以能考上華盛頓大學，我想完全得益於這個夢想，因爲我想去埃及。我之所以能認識我美麗賢慧的妻子，我想也是得益於這個夢想，她是一個對埃及文明著迷的人。如果我不是購買了那個夢想，我們絕不會在圖書館裡相遇，更不會有一段浪漫迷人的戀愛時光，也不會有現在的幸福生活。

我的兒子現在史丹佛大學讀書，我想也是得益於這個夢想，因爲從小我就告訴他，我有一個夢想，那就是去埃及，如果你能獲得好的成績，我就帶你去那個美麗的地方。我想他就是在埃及金字塔的召喚下，走入史丹佛大學的。現在我在芝加哥擁有六家超市，總價值超過二千五百萬美元。我想，如果我沒有那個去埃及旅行的夢想，我是絕對不會擁有這些財富的。

尊敬的法官和陪審團的各位女士、先生們，我想，假如這個夢想屬於你們，你們也一定會認爲它已經融入了你們的生命之中，已經和你們的生活、你們的命運緊緊相連。你們也一定會認爲這個夢想就是你們的無價之寶。

要花三千萬美元贖回一個以三美分賣出去的夢想，在有些人看來也許沒有必要，或者說根本就不值得。然而，賽尼．史密斯卻發誓說，哪怕花兩個三千萬，也要將那個夢想贖回。

現在他才明白，人的一生中唯一最珍貴的東西就是——夢想。

我們經常說：現在決定未來。其實應該說：未來決定現在。夢想的意義正在於此。

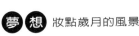

眞愛

永恆不息的心跳

你知道嗎？只有貓的感情才是眞實持久的。你曾經說你喜歡我，你就沒有把巧克力給我吃而且你還說過我「眞笨」。我的貓絕對不會這樣對待我。

一位母親寫給世界的信

親愛的世界，我的兒子今天開始上學。在一段時間內，他可能會感到既陌生又新鮮，我希望你能對他溫和一點。

你知道，直到現在，他一直是家裡最受寵的人，我從沒有離開過他的身邊。

可是現在，一切都將發生變化。

今天早晨，他將走下屋前的臺階，揮揮手，踏上他偉大的冒險征途，途中也許會有失敗、淚水和傷痛，但我告訴他，必須面對。他要在他必須生存的世界中生活，他需要信念、愛心和勇氣。

所以，世界，我希望你握住他稚嫩的手，教他知道一些事情。教他——但如果可能的話，請溫柔一點兒。

教他知道，世界上有一個惡棍，就有一個英雄；有一個奸詐的政客，就有一個富於奉獻精神的領袖；有一個敵人，就有一個朋友。

教他感受書本的魅力，給他時間，去安靜地思索自然界中永恆的神秘：空中的小鳥，陽光下的蜜蜂，青山上的花朵。

教他知道，失敗比欺騙要光榮得多；教他要堅信自己的思想，哪怕別人都予以否定；教他可以把自己的體力和腦力以最高價出售，但絕對不要出賣自己的愛和靈魂；教他對暴徒的嚎叫不屑一顧……且在認爲自己是對的時候衝上去戰鬥。

以溫柔的方式教導他，世界，但不要溺愛他，因爲只有烈火才能煉出眞鋼。

這是個很高的要求，世界，請你盡力而爲。他是一個多麼可愛的小伙子。

世界，你是否聽見一個母親溫柔的囑託？你可以辜負任何人的任何願望，但是對於這個母親，你必須例外。

她只是在對世界耳語嗎？不，她是在對我們所有的人說話。對於你自己的孩子，對於你看見的每個孩子，你發誓，你都會如此對待嗎？

父親和一棵小樹

一個小男孩認爲自己是世界上最不幸的孩子，脊髓灰質炎給他留下了一條瘸腿和一嘴參差不齊的牙齒。因此，他很少與同學們遊戲和玩耍，老師叫他回答問題時，他也總是低著頭一言不發。

在一個平常的春天，小男孩的父親從鄰居家討了些樹苗，他想把它們栽在房前院子裡。他叫孩子們每人栽一棵，父親說，誰栽的樹苗長得最好，就給誰買一件最好的禮物。小男孩也想得到父親的禮物，但看到兄妹們蹦蹦跳跳提水澆樹的身影，不知怎麼地，他竟然萌生出這樣一種想法：希望自己栽的那棵樹早日死去。因此，澆過一兩次水後，他就再也沒去搭理它。

幾天後，小男孩再去看他種的那棵樹時，驚奇地發現它不僅沒有枯萎，而且還長出了幾片新葉子，與兄妹們種的樹相比，似乎更顯得嫩綠，更有生氣。

父親兌現了他的諾言，爲小男孩買了一件他最喜愛的禮物。父親對他說，從他栽的樹來看，他長大後一定能成爲一個出色的植物學家。

從那以後，小男孩就對生活有了美好的憧憬，慢慢地變得樂觀開朗起來。

一天晚上，小男孩躺在床上睡不著，看著窗外明亮皎潔的月光，忽然想起生物老師曾說過的話：植物一般都在晚上生長。何不去看看自己種的那棵小樹是不是在長高？當他輕手輕腳來到院子時，看見父親正用勺子在給自己栽的樹苗澆水。頓時，他明白了，原來父親一直在偷偷地護育著自己的那棵小樹！他返回房間，禁不住淚流滿面。

幾十年過去了，那個瘸腿的小男孩沒有成為一位植物學家，但他卻成了美國總統。他的名字叫富蘭克林．羅斯福。

價値連城的十美元

很多年以前，一個富有的老人和他年輕的兒子生活在一起，兩人都非常熱愛收藏，他們擁有大量世界各國珍貴的藝術品。一年冬天，他們的國家捲入了戰爭，年輕人毅然應徵入伍。不幸的是，幾個星期後他便戰死沙場。

耶誕節的早晨，一陣敲門聲喚醒了這位日夜思念兒子的老人。他打開房門，看見一位手裡提著大包裹的士兵正向他敬禮。士兵向老人介紹道：「我是您兒子的戰友。我給您帶回了他的一幅畫像。」

兒子的這幅肖像畫成了老人最爲珍貴的財產，他將它掛在客廳的正中央，天天對它凝視。相比之下，他覺得家裡收藏的所有無價珍品，此時都黯然失色。

第二年春天，這位可憐的老人得了一場大病，不久就去世了。根據老人的遺願，他收藏的所有藝術品將在這一年耶誕節那天拿出來拍賣。

這個時候終於到來了。收藏家們從世界各地聚集到拍賣現場，希望競購到慕名已久的稀世珍品。出乎人們意料的是，拍賣會由一件非常普通的作品——老人兒子的肖像畫開始。拍賣師介紹了這幅畫的來歷後，向眾人徵求一個拍賣底價，但是會場裡一片沉寂。

「有誰願意出價一百美元買下這幅畫嗎？」拍賣師問道。沒有人說話。

「五十美元呢？」還是沒人答應。

這時，人群中間傳來一個不耐煩的聲音：「誰會對那幅粗劣的畫像感興趣呢？快把所有的珍品展示出來吧！」贊同聲、附和聲此起彼伏。

「不，我們必須首先拍賣這一幅，這是遺囑的要求。」拍賣師堅決地說。

「誰願意買下這幅肖像？」過了很久，拍賣師再一次問道。

「十美元你會賣嗎？因爲我身上只有這麼多錢……」在後排的走道上，老人家裡的一個清潔工十分難爲情地問道。

不少人扭過頭看他，臉上露出不屑的神色。

「還有沒有人願意出更高的價錢？」拍賣師大聲問道。

沒有人回應。拍賣師掃視了一眼拍賣廳，然後高聲喊道：「十美元一次！十美元二次！十美元三次！好，成交！」

拍槌重重地落了下來。頓時，拍賣廳裡的人群開始騷動起來：「現在，正式拍賣可以開始了吧？」

拍賣師無聲地環顧了一下四周，鄭重地宣布：「拍賣到此結束！」

「爲什麼？爲什麼？我們千里迢迢趕來，難道是要看你拍賣一幅名不見經傳的十美元肖像嗎？」

「不！不止這些。按照這位老人——也就是肖像中這位兒子的父親的遺囑，誰買下那幅肖像畫，」拍賣師頓了一下，遺憾地看了看眾人，「誰就可以同時得到他所收藏的全部珍品！」

無論在任何場合，只要我們有能力，就應該用行動表達我們的愛心。

不過，永遠不要期望意外的回報，如果有了這樣的欲望，我們獻出的就不是愛心，而是貪婪——上帝不會獎勵貪婪。

肩膀上的蜻蜓

在一個非常寧靜而美麗的小城，有一對非常恩愛的戀人，他們每天清晨都去海邊看日出，晚上去海邊送夕陽，每個見了他們的人都向他們投來羨慕的目光。

可是有一天，在一場車禍中，女孩不幸受了重傷，她靜靜地躺在醫院的病床上，幾天幾夜都沒有醒過來。白天，男孩就守在床前不停地呼喚毫無知覺的戀人；晚上，他就跑到小城的教堂裡向上帝禱告，他的眼淚已經哭乾了。

終於有一天，上帝被這個癡情的男孩感動了。上帝問他：「你願意用自己的生命交換戀人的生命嗎？」男孩毫不猶豫地回答：「我願意！」上帝說：「那好吧，我可以讓你的戀人很快醒過來，但此後的三年裡，你要變做一隻蜻蜓。你願意嗎？」男孩聽了，堅定地答道：「我願意！」

天亮了，男孩已經變成了一隻漂亮的蜻蜓，他告別了上帝便匆匆地飛到了醫院。女孩眞的醒了，而且她還在跟身旁的一位醫生交談著什麼，可惜他聽不到。

幾天後，女孩便康復出院了，但是她並不快樂。她四處打聽男孩的下落，但沒有人知道。早已化成蜻蜓的男孩無時無刻不圍繞在她身邊，只是他不會呼喊，不會擁抱，只能默默地承受著她的視而不見。

夏天過去了，秋天的涼風吹落了樹葉，蜻蜓不得不離開這裡，於是他最後一次飛落在女孩的肩上。他想用自己的翅膀撫摸她的臉，用細小的嘴來親吻她的額頭，然而她沒有發現他的存在。

春天來了，蜻蜓迫不及待地飛回來尋找自己的戀人。然而，她的身旁卻站著一個高大的男人，蜻蜓痛苦得幾乎快從半空中墜落下來。蜻蜓傷心極了，在接下來的幾天中，他看到那個男孩帶著自己的戀人在海邊看日出，而他自己除了偶爾能停落在她的肩上以外，什麼也做不了。

第三年的夏天，蜻蜓已不再常常去看望自己的戀人了。她柔弱的肩膀被那個男孩輕擁著，紅潤的臉頰被他輕吻著，根本沒有時間去留意一隻傷心的蜻蜓，更沒有心情去懷念過去。

上帝約定的三年期限很快就要到了。就在最後一天，蜻蜓昔日的戀人跟那個男孩舉行了婚禮。

蜻蜓悄悄地飛進教堂，落在上帝的肩膀上，他聽到下面的戀人對上帝發誓說：我願意！他看著那個男孩把戒指戴到昔日戀人的手上。蜻蜓流下了傷心的淚水。

上帝嘆息著：「你後悔了嗎？」蜻蜓擦乾了眼淚，說：「沒有！」上帝又帶著一絲愉悅說：「那麼，明天你就可以變回你自己了。」蜻蜓搖了搖頭：「就讓我做一輩子蜻蜓吧……」

有些緣分是注定要失去的，有些緣分是永遠不會有好結果的。愛一個人不一定要擁有，但擁有一個人就一定要好好去愛。

當我們快樂幸福的時候，也要細心地回過頭看看：我們的肩上有一隻蜻蜓嗎？

上帝已經愛你

一九六三年，一位名叫瑪莉・班尼的女孩寫信給《芝加哥先驅論壇報》，因爲她實在弄不明白，爲什麼她幫媽媽把烤好的甜餅送到餐桌上，得到的只是一句「好孩子」的誇獎，而那個什麼都不做，只知搗蛋的戴維，她的弟弟，得到的卻是一隻甜餅。她想問一問無所不知的西勒・庫斯特先生，上帝眞的公平嗎？爲什麼她在家和學校常看到一些像她這樣的好孩子被上帝遺忘了？

西勒・庫斯特是《芝加哥先驅論壇報》兒童版「你說我說」節目的主持人，十多年來，孩子們有關「上帝爲什麼不獎賞好人，爲什麼不懲罰壞人」之類的來信，他收了不下千封。每次拆閱這樣的信件，他心裡都非常沉重，但他不知該怎麼回答這樣的提問。

正當他對瑪莉小姑娘的來信不知如何是好時，一位朋友邀請他參加婚禮。

也許他一生都該感謝這次婚禮，因爲就是在這次婚禮上，他找到了問題的答案，並且這個答案讓他一夜之間名揚天下。

西勒·庫斯特是這樣回憶那場婚禮的。牧師主持完訂婚儀式，新娘和新郎互贈戒指，也許是他們完全沉浸在幸福之中，也許是兩人過於激動，總之，在他們互贈戒指時，兩人都陰差陽錯地把戒指戴在了對方的右手上。牧師看到這一情景，幽默地說了一句話：右手已經夠完美了，我想你們最好還是用它來裝扮左手吧。西勒·庫斯特說，正是牧師的這一句話，讓我茅塞頓開。

右手本身就非常完美了，沒有必要把飾物再戴在右手上。同樣，那些有德的人，之所以常常被忽略，不就是因爲他們已經非常完美了嗎？後來，西勒·庫斯特得出結論：上帝讓右手成爲右手，就是對右手的最高獎賞；同樣，上帝讓善人成爲善人，也就是對善人的最高獎賞。

西勒·庫斯特發現這一眞理後，興奮不已，他以「上帝讓你成爲一個好孩子，就是對你的最高獎賞」爲題，立即給瑪莉·班尼回了一封信，這封信在《芝加哥先驅論壇報》刊登之後，在不長的時間內，被美國及歐洲一千多家報刊轉載，而且每年的兒童節，他們都要將這封信重新刊載一次。

如果你是一個好人，那麼你就不要再要求得到什麼回報，因為這個事實本身就是上帝垂愛你的明證。

當火車開走之後

女孩大學畢業，要到很遠的一座城市去。四個同時暗戀她的男生一起去送她。女孩知道，這一去恐怕再也與他們無緣了。

火車就要啓動的時候，四個男孩似乎都想說什麼，女孩笑著問：「你們是不是捨不得我離開啊？眞捨不得就跟我走呀！」

四個男孩神情戚然，一時都不知如何是好。

就在車門架快要收起的時候，其中一位男孩飛身躍上了火車，衝到女孩的座位上，把她緊緊抱在懷裡。

女孩沒有拒絕。她靠在男孩的肩頭，淚水濡濕了他的衣領。

站臺上的三個男生一下子驚詫得目瞪口呆，還沒容他們做出任何反應，火車就「哢嚓哢嚓」地駛出了月臺。

一年後，另一座城市，在女孩的婚禮上，其他的三個男孩問女孩：「你是什麼時候決定嫁給他的？」

女孩說：「就在他奮不顧身躍上火車的那一刻。」

女孩又問：「那時候，你們怎麼不跟我走呀？」

「我還以爲你在開玩笑呢！」一個男孩說。

「當時，我還沒來得及做任何準備呀。」第二個男孩說。

「我原想，來日方長，我們可以從長計議。」第三個男孩說。

各有各的理由，可是，啓動的火車不會爲這些理由而停留。

機遇就是那個站在車廂中的女孩！要俘獲她，摯愛、敏感、果決和奮不顧身，一樣都不能少。

看著火車開走——人生路上，這種無奈和尷尬的際遇最好是越少越好。

其實，不只是愛情，一生的所有失去或得到，在火車啓動的那一瞬間就已注定。

你是上帝的妻子嗎？

紐約，十二月一個寒冷的日子。一個大約十歲的小男孩站在百老匯一家鞋店的門前，他光著腳，隔著櫥窗呆呆地往裡面看，身子因爲寒冷而顫抖。

一位女士走近男孩，問道：「小傢伙，你這麼認眞地在看什麼？」

「我曾經請求上帝賜給我一雙鞋子，我想知道這裡面有沒有。」男孩回答。

女士牽起他的手，走進店內。她讓店員給男孩拿來半打襪子，然後她又問店員，可否打來一盆熱水，再拿一條毛巾。店員欣然照辦了。

她把小傢伙帶到店堂後面，脫下手套，跪下，將男孩的腳放進熱水裡，爲他洗腳，然後用毛巾擦乾。

這個時候，店員拿著襪子回來了。女士取出其中一雙爲孩子穿上，又爲他買了一雙鞋，再把剩下的幾雙襪子包起來交給男孩。

在鞋店門口，女士拍著小男孩的頭說：「小伙子，你現在覺得舒服一點兒了嗎？」

當她正要轉身離去的時候，小男孩在後面拉住了她的手，抬頭注視著她的臉。

他的眼中含著淚水，用顫抖的聲音問這位女士：「你是上帝的妻子嗎？」

假若我們不能成為上帝，就做上帝的妻子吧！

只要我們能和他一樣博愛，做他的孩子，或者做他的僕人，都好。

哥哥的禮物

耶誕節來臨了，戴維的哥哥送給了他一件出乎意外的禮物：一輛新汽車。

平安夜，戴維走出公寓的大門，發現一個小男孩正圍著他的新車前後左右地轉著。

「先生，這是您的車嗎？」小孩問道。戴維點點頭，說：「這是我哥哥送給我的聖誕禮物。」

「您是說，這車是您哥哥送給您的，您沒有花一分錢？」小孩露出羨慕的神色。「唉，您多幸福！如果可能，我也願意……」他的嘴裡囁嚅著。

當然，戴維知道小孩想說什麼，他想說，他也願意有這樣的哥哥。然而，小孩不是這樣說的，他說：「我也願意能像您的哥哥那樣，要是我有錢的話。」

他的話說出來以後，戴維不禁爲之一震。

戴維很驚訝地看著小男孩，很激動地問道：「你願意坐我的車兜一圈嗎？」

「哎呀，那太好了，我非常喜歡。」

汽車兜了一圈後，小孩雙目炯炯有神，高興極了。他說：「先生，汽車從我家門口繞過一下行不行？」

戴維微微一笑，他以爲自己知道這個小孩心裡在想什麼。他是不是想讓鄰居們看到他是坐一輛新車回家的？

可是，戴維又想錯了。

「車子能在那個兩級臺階前停一停嗎？」孩子昂著頭，天眞地懇求道。

車停了，他下了車，向那個臺階跑去。

一會兒，戴維聽到了小男孩走回來的聲音。他走路的腳步很重，手臂裡抱著一個更小更瘦弱的男孩——他的弟弟，一個殘疾兒童。

他將弟弟放在臺階上，指著車子說：「胡安，你看見了嗎？就在那兒。那是他哥哥送給他的聖誕禮物，他沒有花一分錢。總有一天我會送給你一輛嶄新的車，和這輛汽車一模一樣。那時候，你就可以坐著車子去看櫥窗裡擺設的好多好東西。」

小男孩把自己的臉貼在弟弟的臉上，露出嚮往和幸福的表情。戴維的心突然被什麼東西猛刺了一下，他跳下汽車，將男孩懷裡的弟弟抱上汽車前座，讓他的哥哥坐在後面。就這樣，三個人開始了愉快的平安夜之旅。

那一夜，戴維懂得了耶穌所說的一句話：「你必在付出中得到你期望的快樂。」

就是在這一夜，戴維體會到了真正的愛的感覺。這是一種比被愛更好的感覺。

有愛就會有一切

一位夫人打開房門，看到三位銀鬚飄然的老者坐在她家門前的臺階上。雖然夫人與他們素不相識，但還是禮貌地上前打招呼：「您們一定餓壞了，進屋去吃點東西吧。」

「你家男主人在嗎？」老人們問。

「在呀。」夫人答道。

「那你先去徵求一下他的意見吧。」老人們回答。

夫人回屋裡將此事告訴了丈夫。丈夫說：「快去告訴他們，請他們進來吧！」於是她又出去邀請他們。

「可是，我們不一同進去。」老人們說。夫人感到疑惑。

一個老人指著一個同伴說：「他名叫財富，」又指著另一個同伴說，「他叫成功，我是愛。」他接著說，「我們只進去一個人，你去和丈夫商量一下，看你們願意讓哪一位進去。」

夫人把老人們的話告訴了丈夫，丈夫十分驚喜，說：「既然如此，我們就邀請財富老人吧，快去請他進來！」妻子不同意，說：「親愛的，爲什麼不邀請成功呢？」這時他們的女兒插話了：「我想，邀請愛進來不是更好嗎？一家人擁有愛是最好的。」

「那就聽女兒的話吧！」丈夫對妻子說。夫人出去告訴三位老人：「我們商量過了，請叫『愛』的老人跟我來吧！」

愛朝屋裡走去，可是另外兩位老人也跟在後面。夫人不解地問財富和成功：「剛才我邀請您們一起進來，您們說不能一同進屋。現在我邀請的是愛，您們怎麼又願意來了呢？」老人們一同回答說：「難道你們不知道嗎？哪裡有愛，哪裡就有財富和成功！」

記住：財富和成功永遠跟在愛的後面，而不是相反。

很多人不明白這樣的道理，他們在選擇和決斷的時候，總是出現錯誤，結果把全部的人生都弄錯了。

不尋常的貝殼

在夏威夷一座偏遠的小島上，一位老師對一群小學生解釋，爲何人們在耶誕節要互贈禮物。

老師說：「禮物表示我們的關愛和對耶穌降臨的歡喜，也表示對愛我們的人的感激之情。」

耶誕節到了，一個男孩爲老師帶來一隻閃閃發亮的貝殼，它是貝殼中少有的珍品。

老師問：「你在哪兒發現這樣一隻不尋常的貝殼？」

男孩告訴老師，在二十多公里外的一個隱秘海灘，有時會有這種閃亮的貝殼被沖上岸。我爸爸說，那是一種很珍貴的貝殼。

於是，他走了二十多公里，爲老師撿來了這樣一隻貝殼。

老師說：「它眞是太美了，我會一輩子珍惜它的。但你不應該走那麼遠的路專門去爲我帶一件禮物。」

男孩眨著眼睛說：「一個貝殼作爲禮物可能太輕了，我還把走路也作爲禮物送給你。」

老師一下子緊緊抱住小男孩，激動地說：「你的貝殼我很喜歡，但你『走路』這份禮物我覺得更珍貴。」

當我們童年時，我們會拿一隻貝殼作為禮物，還加上「走路」；當我們成為少年，我們的禮物會變成玫瑰，再加上海誓山盟；可是，當我們成人時，我們的禮物不幸變成了金錢和財寶；等我們年老，我們最好的禮物就只有回憶和問候——這時候，我們最想得到的，就是童年的一隻小貝殼……

費希瑪的金魚

在遙遠的波西尼亞，婦人費希瑪和丈夫及兩個兒子生活在一個小村落裡。有一天，丈夫從外地回來，送給了兒子們一個魚缸和兩條金魚。次年，波西尼亞爆發了戰爭。在那個戰火紛飛的年月，費希瑪失去了丈夫，也失去了家園，不得不走上顛沛流離的逃難之路。

在棄家奔逃之際，費希瑪不知道等待她和兩個孩子的將是什麼，一切是那麼慌亂，那麼倉促。但在這樣的時刻，費希瑪仍沒忘記那兩條金魚，它們不僅代表已逝丈夫的愛意，更是兩條活生生的生命。於是，她捧起金魚缸從容地走向湖邊，將它們輕輕放進藍藍的湖水裡。

幾年後，戰火平息了，費希瑪和孩子們結束逃難返回家鄉。村莊一片廢墟，處處都是荒涼。他們找到當年的住處，心情萬分悲傷。這時，費希瑪的大兒子突然叫了起來：「媽媽，看那是什麼！」他們當年放生金魚的湖面泛著片片金光，仔細一看，是一群群活潑美麗的金魚，跟他們當初放生的兩條長得一模一樣。

最值得慶幸的是，兩個兒子從那片湖水中摸回了那個圓圓的金魚缸，這是他們的父親當年送給他們的禮物！費希瑪和孩子們別提有多麼高興，彷彿與自己的親人在亂世後重逢。

費希瑪和她的金魚的故事很快流傳開來，人們紛紛前來觀看，並順便買兩條拿回家餵養。於是出售金魚成了費希瑪一家維持生計的方式，使他們母子終於擺脫了戰亂後的貧窮，過著安寧殷實的生活。

當年，費希瑪捧著兩條金魚走向湖邊時，未必想過今天這樣的結局。

費希瑪不忍心看著兩條生命在疏忽中消失：因為，對於生和死的感受，一條魚和一個人肯定沒有什麼不同。

事實證明，即使只是兩條魚，它們也不會辜負一份善意。

媽媽只收零美元

美國德克薩斯州有一條法律：凡年滿十四歲的孩子，必須身體力行爲父母分擔家務，諸如洗碗、擦地、剪草坪等。

在一個星期天的晚上，聰明的男孩湯姆給媽媽寫下了一份帳單：

湯姆幫媽媽到超級市場買食品，媽媽應付五美元；湯姆自己起床疊被，媽媽應付二美元；湯姆擦地板，媽媽應付三美元；湯姆是一個聽話的好孩子，媽媽應付十美元。合計：二十美元。

湯姆寫完後，把紙條壓在餐桌上，便上床睡覺去了。忙得滿頭大汗的媽媽看到這張紙條後，寬容地笑了笑，隨手在上面添了幾行字，放到湯姆的枕邊。

醒來的湯姆，看到了這樣的一張帳單：

媽媽含辛茹苦地將湯姆懷了十個月，湯姆應付零美元；媽媽教湯姆走路、説話，湯姆應付零美元；媽媽每天爲湯姆做好吃的食物，湯姆應付零美元；媽媽每個周末陪湯姆去兒童樂園，湯姆應付零美元；媽媽每天爲湯姆祈禱，希望他成爲天使般可愛的小男孩，湯姆應付零美元。合計：零美元。

這張紙條，至今仍被湯姆珍藏著。它告訴湯姆，眞正的愛是沒法計量的。

媽媽為什麼如此慷慨，因為她愛得太重；媽媽為什麼如此寬容，因為她愛得太深。等我們心中有了媽媽那樣重那樣深的愛時，我們也會只索取零美元。

改變一生的讚美

卡耐基小時候是一個公認的壞男孩。在他九歲的時候，父親把繼母娶進家門。當時他們還是居住在鄉下的貧苦人家，而繼母則來自富有的家庭。

父親一邊向繼母介紹卡耐基，一邊說：「親愛的，希望你注意這個全郡最壞的男孩，他已經讓我無可奈何。說不定明天早晨以前，他就會拿石頭扔向你，或者做出你完全想不到的壞事。」

出乎卡耐基意料的是，繼母微笑著走到他面前，托起他的頭認眞地看著他。接著她回頭對丈夫說：「你錯了，他不是全郡最壞的男孩，而是全郡最聰明最有創造力的男孩。只不過，他還沒有找到發洩熱情的地方。」

繼母的話說得卡耐基心裡熱乎乎的，眼淚幾乎滾落下來。就是憑著這一句話，他和繼母開始建立友誼。也就是這一句話，成爲激勵他一生的動力，使他日後創造了成功的二十八項黃金法則，幫助千千萬萬的普通人走上成功和致富的道路。

在繼母到來之前，沒有一個人稱讚過他聰明，他的父親和鄰居認定：他就是壞男孩。但是，繼母就只說了一句話，便改變了他一生的命運。

卡耐基十四歲時，繼母給他買了一部二手打字機，而且對他說，相信你會成爲一名作家。卡耐基接受了繼母的禮物和期望，並開始向當地的一家報紙投稿。他了解繼母的熱忱，也很欣賞她的那股熱忱，他親眼看到她用自己的熱忱，如何改變了他們的家庭。所以，他不願意辜負她。

來自繼母的這股力量，激發了卡耐基的想像力，激勵了他的創造力，幫助他和無窮的智慧發生聯繫，使他成爲美國的富豪和著名作家，成爲二十世紀最有影響力的人物之一。

讚美永遠都不是多餘的，尤其是對於孩子。一次真誠的讚美，可能勝過一萬次嚴厲的責備。

快樂的大樹

從前有一棵樹，她非常疼愛一個小男孩。

男孩每天都會跑來，收集她的葉子，把葉子編成皇冠，扮演森林裡的國王。男孩會爬上樹幹，吃吃果子，抓著樹枝盪盪鞦韆。他們會一起捉迷藏，玩累了，男孩就睡在樹蔭下。

男孩非常喜愛這棵樹。樹因此很快樂。

日子一天天過去，男孩長大了，他離開了樹，樹常常感到孤單。

有一天男孩來到樹下，樹說：「來啊，孩子，來，爬上我的樹幹，吃吃甜果，抓著我的樹枝盪鞦韆，在我的樹蔭下玩耍吧！」

「我不是小孩子了，我不要爬樹和玩耍」，男孩說，「我要闖天下，我要錢。你可以給我一些錢嗎？」

「眞抱歉」，樹說，「我沒有錢。我只有樹葉和樹果。孩子，拿我的果子到城裡去賣，這樣，你就會有錢，你就會快樂了。」

於是男孩爬到樹上，摘下她的果實，把它們通通帶走了。

樹很快樂。

男孩好久沒有再來，樹很傷心。

有一天，男孩回來了，樹高興得發抖，她說：「來啊，孩子，爬上我的樹幹，抓著我的樹枝盪鞦韆，快快樂樂地玩吧！」

「我太忙了，沒時間爬樹」，男孩說，「我想要一間房子保暖，我還想要妻子和小孩。你能給我一間房子嗎？」

「我沒有房子」，樹說，「森林就是我的房子。不過你可以砍下我的樹枝去蓋房子，這樣你會快樂了。」

於是男孩砍下了她的樹枝，把樹枝帶走去蓋了一間漂亮的房子。

樹因此很快樂。

可是男孩好久都沒有再來，所以當男孩又回來時，樹非常快樂，快樂得幾乎說不出話來。「來啊，孩子」，她輕輕地說，「過來，來玩啊！」

「我又累又傷心，玩不動了」，男孩說，「我想要一條船，可以帶我離開這裡。你可以給我一艘船嗎？」

「砍下我的樹幹去造船吧！這樣你就可以遠航，你就會快樂。」樹說。

於是男孩砍下她的樹幹，造了一條船，坐船走了。樹依然很快樂。

過了好久好久，男孩又回來了。

「我很抱歉，孩子，」樹說，「我已經沒有東西可以給你了，我的果子也沒了！」

「我的牙齒咬不動果子了。」男孩說。

「我的樹枝也沒了，你不能在上面盪鞦韆了。」

「我太老了，沒有辦法在樹枝上盪鞦韆。」男孩說。

「我的樹幹沒了，你不能爬樹玩了。」

「我四肢無力了，爬不動樹了。」男孩說。

「我眞希望我能給你些什麼，可是我什麼也沒了，我只剩下一根老樹樁。我很抱歉。」

「我現在要的不多，」男孩說，「只要一個安靜的可以休息的地方，我很累很累。」

「好啊！」樹一邊說，一邊努力挺直身子，「正好啊，老樹樁是最適合坐下來休息的。來啊，孩子，坐下來，坐下來休息呀。」

男孩坐了下來。樹非常快樂，眞的非常快樂……

一生中，總會遇到像這棵樹一樣的人。母親像不像這棵樹？最關懷你的師長像不像這棵樹？深愛你的人像不像這棵樹？

人是在不斷的索取中成長，但很多人不知道這一點。所以，我們的過錯不光是一味索取，而是索取之後不知道感激。

愛我們的人為我們奉獻，當我們享受這種奉獻時，千萬不要以為理所當然。

無私奉獻的報償

多年以前，在荷蘭的一個小漁村，全村人都以捕魚爲生。而大海瞬息萬變，危機四伏。因此，爲了應對突發的海難，村裡人組織了一個自願緊急救援隊。

那是一個漆黑的夜晚，海面上烏雲翻滾，狂風怒吼。巨浪掀翻了一條漁船，船員的生命危在旦夕，他們發出了ＳＯＳ求救信號。救援隊的隊長聽到了警報，火速召集自願緊急救援隊的成員，乘著划艇，衝入了洶湧的海浪中。憂心忡忡的村民們都聚集在海邊，翹首眺望著雲波翻捲的海面，他們每人都舉著一盞提燈，爲救援隊照亮凶險四伏的歸途。

一個小時之後，救援隊的划艇終於乘風破浪向岸邊駛來。漁民們喜出望外，歡呼著上前去迎接。當救援隊長清點人數時，發現漏掉了一個人！剛才還歡欣鼓舞的人們頓時安靜下來，才落下的心又懸到了嗓子眼兒。救援隊長急忙組織另一隊自願救援者前去搭救那個丟下的人。

十六歲的漢斯自告奮勇地報了名。他的母親抓住了他的胳膊，用顫抖的聲音說：「漢斯，你不要去。十年前，你的父親就是在海難中喪生的，三個星期前你的哥哥保羅也出了海，可是到現在連一點消息也沒有。孩子，你現在是我唯一的依靠了！求求你千萬不要去！」

看著母親憔悴的面容和近乎乞求的眼神，漢斯心頭一酸，淚水在眼中直打轉，但是他卻忍住沒讓它流下來。「媽媽，我必須去！」他堅定地答道。「媽媽，您想想，如果我們每個人都說『我不能去，讓別人去吧！』那情況將會怎樣呢？」漢斯張開雙臂，緊緊地擁抱了一下他的母親，然後義無反顧地登上了救援隊的划艇，衝入無邊無際的黑暗之中。

十分鐘過去了，二十分鐘過去了……一小時過去了。這一個小時，對於漢斯的母親來說，眞是太漫長了。終於，救援船再次衝破黑暗，出現在人們的視野之中。只見漢斯站在船頭向岸上眺望，救援隊長把手握成喇叭狀，向漢斯高聲喊道：「漢斯，找到了嗎？」

漢斯高興地大聲回答：「隊長，我們找到啦！請您告訴我媽媽，我找到了我的哥哥——保羅！」

人生就是這樣得到回報的。有時侯它好像很偶然，很出乎意外，但無數事實證明，無論是好的回報還是壞的回報，一定有其深刻的原因——這個原因是：我們一定曾經為這個結果做過什麼，我們的為人或習慣一定有導致這種結果的某種因素。

小狗的價值

一名店主在門上掛了一幅廣告，上面寫著「出售小狗」。當天下午，就有一個小男孩出現在廣告牌下。

「你的小狗賣多少錢？」他問道。

「三十至五十美元不等。」

「我有二．七五美元。請允許我看看牠們，好嗎？」

店主吹了一聲口哨，負責管理狗舍的女士出現了，身後跟著五隻毛茸茸的小狗。小男孩發現，其中一隻小狗遠遠落在後面，一條腿一跛一跛的。

「那隻小狗有什麼毛病嗎？」

店主解釋道：「牠天生就這樣，醫生說沒法治好。」

小男孩說：「就是那隻小狗，我要買下牠。」

店主說：「如果你眞的想要，我把牠送給你好了。」

小男孩十分氣憤，他瞪著店主的眼睛說：「我不需要你把牠送給我，牠應該和別的小狗値一樣的價錢。我現在付二．七五美元，以後每月付五十美分，直到付完爲止。」

店主勸說道：「你眞的用不著買這隻狗，牠不可能像別的小狗那樣又蹦又跳地陪你玩兒。」

聽到這句話，小男孩捲起褲腳，露出嚴重畸形的小腿。他的左腿是跛的，靠一根金屬架支撐著。他看著店主，輕聲說道：「我自己也不能跑。那隻小狗需要一個理解牠的人。」

生命原是沒有差別的，可是我們自己卻生有差別心。沒有差別的生命本可以一樣獲得快樂和幸福，可是我們的差別心卻將一樣的快樂和幸福分割成快樂和煩惱、幸福和不幸。

差別心將生命平白地撕裂成貴賤，結果使生命的尊嚴喪失，結果所有的人都要在生命的等級中絕望地掙扎。

天才的道路

在里約熱內盧的一個貧民窟裡，有一個男孩子，他非常喜歡足球，可是又買不起，於是就踢塑膠盒，踢汽水瓶，踢從垃圾箱撿來的椰子殼。他在巷口裡踢，在小菜場邊的馬路上踢，在能找到的任何一片空地上踢。

有一天，一位足球教練看見他又在踢一個東西。他發現這個男孩踢得很專注，就主動提出送給他一個足球。小男孩有了足球踢得更賣勁了，不久，他就能準確地把球踢進遠處隨意擺放的一隻水桶裡。

耶誕節到了，男孩的媽媽說：「我們沒有錢買聖誕禮物送給我們的恩人，就讓我們爲他祈禱吧。」小男孩跟隨媽媽禱告完畢，向媽媽要了一把鏟子跑了出去。他來到足球教練別墅前的花園裡，選了一個合適的地方開始挖一個土坑。

就在土坑快要挖好的時候，主人走了出來。他驚訝地問小孩在幹什麼，男孩揚起滿是汗珠的臉，說：「教練，耶誕節到了，我沒有錢買禮物送給您，就給您的聖誕樹挖一個樹坑。」

教練把小男孩從樹坑裡拉上來，說：「我今天得到了世界上最好的禮物。明天你就到我的訓練場去練球吧。」

三年後，這位十七歲的小男孩在第六屆足球錦標賽上獨進二十一球，為巴西第一次捧回金杯。一個原來不為世人知所的名字——貝利，隨之傳遍世界。

天才之路都是用愛心鋪成的，並且在鋪成這條道路的愛心中，一定有天才自己的一顆。

當我們抱怨說，沒有人關懷我，沒有人愛我的時候，請我們捫心自問，我們給了別人多少愛？給了別人多少關懷？

往往是我們先忽視了別人，別人才忽視我們。

成功

奮鬥人生的酒杯

對不起，爸爸來晚了，今天實在太忙。沒料到你竟然得了第一名，我眞的很高興！下一回，我一定從頭到尾看著你打贏一場比賽。爲了這個，我願意把一切放下。

迪斯尼的老鼠

一個年僅二十一歲的小畫家，懷揣僅有的四十美元，從家鄉提著裝有襯衫、內衣以及繪畫材料的皮箱來到堪薩斯城。

他經歷了多次的失敗，幾乎一無所有。因無錢交房租，只好借用一家廢棄的車庫作爲畫室，每天夜裡都會聽到老鼠「吱吱」的叫聲。

一天，他昏沉沉地抬起頭，看見幽暗的燈光下有一雙亮晶晶的小眼睛在閃動。他沒有捕殺這隻小精靈，磨難已使他具有藝術家悲天憫人的情懷。往後的日子裡，他與這隻小老鼠朝夕相處，經常會在黑暗中你看著我，我看著你。艱難的歲月中，他們彷彿建立了一種默契和友誼。

不久，他離開了堪薩斯城，去好萊塢製作一部卡通片。然而，他設計的卡通形象一一被否決了，他再次品嘗了失敗的滋味。他窮得身無分文，多少個不

眠之夜，他在黑暗中苦苦思索，甚至懷疑起自己的天賦。

突然，他想起了那雙亮晶晶的小眼睛！靈感像一道電光在黑夜裡閃現了：小老鼠！就畫那隻可愛的小老鼠！全世界兒童所喜愛的卡通形象——米老鼠就這樣誕生了。

他就是大名鼎鼎的沃爾特・迪斯尼。從此以後，他憑藉著自己的才幹和靈感，一步步築起了迪斯尼大廈。

上蒼給他的並不多，只給了他一隻小老鼠，然而他「抓」住了。對沃爾特・迪斯尼來說，這隻小老鼠價值千萬。

我們擁有身邊的萬物，但我們卻經常說自己一無所有。我們沒有成功，是因為我們沒有思考，更沒有行動。我們的許多機遇，在我們已經麻木的視野裡消失。

如果一隻老鼠可以讓一個人的生命輝煌，我們還缺少什麼？

一千美元可以做什麼

剛滿十九歲大學還沒有上完的戴爾，靠出售電腦配件賺到了一千美元。拿到這筆錢的當天，他在日記中寫下了使用這一千美元的三種計劃：舉辦一次由所有好朋友參加的盛大酒會；買一輛二手福特轎車；成立一家電腦銷售公司。

經過反覆思考，戴爾終於否定了前兩種方案，儘管它們是那樣誘人。第二天，戴爾用這一千美元註冊了公司，開始代銷ＩＢＭ電腦。

兩年後，他賺到了足夠的錢，於是開始自己組裝電腦，並推出了自有品牌。由於可以採用世界上各家電腦公司的配件，各個層次的用戶都能滿足，戴爾電腦很快成爲熱銷品牌。

如今，戴爾電腦的銷售額位居全球第二，利潤額全球第一。戴爾的個人財富已達二一四・九億美元，在全球富翁榜上排名第四。在全球最年輕的六位富

翁中，名列第一。

無獨有偶，美國鐵路大亨詹姆斯・希爾開始創業時，也只有一千美元，而且這一千美元還是從別人手裡借來的。有了這一千美元，他首先與人合夥創辦了一家經營穀物和肉類的公司，然後開始涉足鐵路建築行業，一步步成爲世界級超級富豪。

詹姆斯・希爾一直活到八十九歲。在他晚年的時候，不斷有人詢問他關於成功的秘密。對於這個問題，他的答案從來只有一句話：我知道怎樣使用一千美元。

一千美元並不是個大數目，很多人都有過這麼多錢。

有的人有了這麼多錢，就馬上用它去購買一套名牌服裝；有人看到誘人的廣告，立即就購買了旅行社的團票，到一個風景秀麗的地方作一次舒心漫遊；有的人可能會用它去買一份保險；更多的人會把它存進銀行，作為今後的不時之需。但是，如果是戴爾，如果是詹姆斯．希爾，他們絕不會這麼做。

一千美元的用法，不僅包含了一個人的生存智慧，尤其顯示了一個人生命的境界和生活的技巧。

百萬富翁十七歲

達瑞出身於美國一個中產階級家庭。父母在生活上對他要求很嚴，平時很少給他零花錢。達瑞八歲的時候，有一天他想去看電影，身上卻分文全無。是向爸媽要錢還是自己掙錢？達瑞第一次開始思考這樣的問題。最後，他選擇了後者。他自己調製了一種汽水，把它放在街邊，向過路的行人出售。可那時正是寒冷的冬天，沒有人購買，最後只等到兩個顧客——他的爸爸和媽媽。

他偶然得到了和一個成功商人談話的機會，當他對商人講述了自己的「破產史」後，商人給了他兩個重要的建議：第一，嘗試爲別人解決一個難題，那麼你就能賺到許多錢；第二，把精力集中在「你知道的、你會的和你擁有的」東西上。

這兩個建議很關鍵。因爲對於一個八歲的男孩而言，他不會做的事情還很多。於是他穿過大街小巷，不停地思考：人們會有什麼難題？如何爲他們解決難題？

這其實很不容易。好點子似乎都躲起來了，他什麼辦法都想不出來。但是有一天，父親無意中激發了他的靈感火花。

一天吃早飯時，父親讓達瑞去取報紙——美國的送報員總是把報紙從花園籬笆中一個特製的管子裡塞進來。假如你想穿著睡衣，一邊舒服地吃早飯，一邊悠閒地看報紙，就必須先離開溫暖的房間到房子的入口處去取報，即使在天氣不好的時候也必須如此。雖然有時候只需要走二、三十步路，但也是非常麻煩的事情。

當達瑞爲父親取回報紙的時候，一個主意誕生了。當天他就挨個按響鄰居的門鈴，對他們說：每個月只需付給他一美元，他就每天早晨把報紙塞到他們的房門下面。大多數人都同意了，達瑞很快有了七十多個顧客。當他在一個月後第一次賺到一大筆錢的時候，他覺得簡直是飛上了天。

高興的同時他並沒有滿足現狀，他還在尋找新的賺錢機會。經過一段時間的思考，他決定讓他的顧客每天把垃圾袋放在門前，然後由他早晨送報時順便

運到垃圾桶裡——每個月另加一美元。他的客戶們很讚賞這個點子，於是他的月收入增加了一倍。後來他還爲別人餵寵物、看房子、給植物澆水、他的收入隨之直線上升。

九歲時，他開始學習使用父親的電腦。他學著寫廣告，而且開始把小孩子能夠掙錢的方法全部寫下來。因爲他不斷有新的主意，有了新主意就馬上實施，所以很快他就有了豐厚的積蓄。他母親幫他記賬，好讓他知道什麼時候該向誰收錢。

隨著業務的擴大，達瑞必須雇傭別的孩子來幫忙他，然後把收入的一半付給他們。如此一來，錢便潮水般湧進了他的腰包。

一個出版商注意到了達瑞，並說服他寫了一本書，書名叫《兒童掙錢的二百五十個主意》。因此，達瑞在他十二歲的時候，就成了一名暢銷書作家。

後來電視臺發現了他，邀請他參加許多兒童談話節目。他在電視裡表現得非常自然，受到許多觀眾的喜愛。到十五歲的時候，達瑞有了自己的談話節目，通過做電視節目和電視廣告，他已經發展到日進斗金的程度。

當達瑞十七歲的時候，他已經成了百萬富翁。

達瑞所做的事，任何一個與他同齡的孩子都能做。他這樣做不只是賺了錢，對一個孩子來說，最重要的是賺取了閱歷和自信。

獲取財富的過程，可以使孩子懂得生活的艱辛，也可以讓他們看見世界的另一面。

一個享受財富的人和一個創造財富的人，他們對人生的體驗肯定不同——孩子們從小就應該知道這些不同。

源太郎憑什麼

多年前，源太郎失業了。一個偶然的機會，他從一位美國軍官那裡學會了擦鞋。他很快就迷上了這種工作，只要聽說哪裡有出色的擦鞋匠，就千方百計地趕去請教，虛心學習。

日子一天天過去了，源太郎的技藝越來越精湛。他的擦鞋方法別具一格：不用鞋刷，而用棉布繞在右手食指和中指上代替。那些早已失去光澤的舊皮鞋，經他匠心獨具的一番擦拭，無不煥然一新，光可鑒人。

在業餘時間裡，源太郎就到各種層次的商場鞋櫃參觀，加深自己對各國不同品牌皮鞋的了解；他還經常到人群聚集的大街上，細心觀察人們穿著皮鞋走路的不同姿態。就這樣，源太郎逐漸形成了高深的職業素養。只要他與人擦肩而過，便能知道對方的皮鞋皮質如何，產自何處。從鞋的磨損部位和程度，就可以說出這個人的健康狀況和生活習慣。

他的超群技藝，打動了東京一家名叫「凱比特」的四星級飯店經理，他將源太郎請到飯店，專門爲來這裡的顧客擦鞋。

令人驚訝的是，自從源太郎來到「凱比特」之後，演藝界、文化界、商界乃至政界的眾多名人，一到東京便非「凱比特」不住。他們對此處情有獨鍾的原因非常簡單，就是要享受一下源太郎的「五星級服務」。當他們穿著煥然一新的皮鞋翩然而去時，他們就深深地記下了源太郎的名字。

源太郎一絲不苟的精神和非同凡響的絕技，爲他贏得了眾多顧客的青睞。他的客戶不只來自東京、大阪、北海道，甚至還有香港、新加坡、馬來西亞等地。在他簡樸的工作室內，堆滿了發往各地的速寄鞋箱。

如今的源太郎，早已成爲「凱比特」的一塊金字招牌。然而，當初誰也不會想到，一個擦鞋匠竟能擁有今天這樣的成功。

每個人都是一根長短相同的槓桿，我們能否成功，關鍵在於我們能否為自己找到一個最合適的支點。這個支點就在自己的身邊，找到了，你就可以撬動地球。

終生成就獎

日本有一項國家級的獎項，叫「終生成就獎」。在素來都把榮譽看得比自己的生命更爲重要的日本人心目中，這是一項人人都夢寐以求卻又高不可攀的至高榮譽。在日本，有無數的社會精英博學人士一輩子努力奮鬥的目標，就是希望能夠最終獲得這項大獎。但最近一屆的「終生成就獎」，卻在舉國上下的期盼和矚目中，出人意料地頒發給了一位名叫清水龜之助的小人物。

清水龜之助是東京一名地位卑微的郵差，他每天的工作，就是將各式各樣的郵件快速而準確地投送到每一個相關的家庭。與那些長期從事能爲推動人類歷史快速發展的高尖端科技研究的專家學者們相比，清水龜之助所從事的工作，簡直就是微不足道不值一提的事。然而，就是這位長期從事著如此平淡無奇的郵差工作的清水龜之助，卻無可爭議地獲得了這項殊榮。

在他從事郵差工作的整整二十五年中，清水龜之助的工作態度始終和他到職第一天的那種認眞和投入沒有什麼兩樣。在不算短暫的二十五年中，他從未有過請假、遲到、早退、蹺班等任何不良情況。而且他所經手投遞的數以億計的郵件，從未出現過任何差錯。不論是狂風暴雨，還是地凍天寒，甚至在大地震的災難當中，他都能夠及時而準確地把郵件投送到收件人的手中。

是什麼樣的力量支持著清水龜之助幾十年如一日持之以恆地把一件極爲平凡普通的工作，鑄造成了一項偉大無比的成就呢？清水龜之助對此不無感慨地說：「是快樂，我從我所從事的工作中，感受了無窮的快樂。」

清水龜之助說，他之所以能夠二十五年如一日地做好郵差這份卑微的工作，主要是他喜歡看到人們在接獲遠方的親友捎來的訊息時，臉上出現的那種發自內心的快樂而欣喜的表情。自己微不足道的工作，竟然能夠給別人帶來莫大的心靈安慰和精神快樂，這使他感到更大的欣慰和快樂，所以他覺得自己的工作神聖而有意義。

他說，只要一想起收件人臉上蕩漾開來的那種快樂表情，即使再惡劣的天氣，再危險的境況，也無法阻止我一定要將郵件送達的決心。

正是這種快樂的力量，支持清水龜之助完成了這項偉大的成就；也正是這種在極其平凡的工作中能夠感受到生活快樂的精神，感動了這個不會輕易被感動的民族。

快樂是人類最神聖的情感需求，每個人都應該尊重它，並且有義務在生活的每時每處創造它，傳播它。

有什麼比一個全心全意為了獲得快樂和傳播快樂而工作的人更偉大、更應該受到尊敬？

你覺得快樂，你就能把事情做得更好。

因爲沒有e-mail

有一個失業的年輕人，到微軟去找一份清潔工的工作。在經過面試和實踐考查後，人力資源部告訴他被錄取了。

「請你將e-mail address（地址）給我們，以方便工作聯繫。」年輕人說：「我沒有電腦，所以也沒註冊e-mail address。」人力資源部告訴他：「對微軟來說，沒有e-mail address的人等於不存在的人，所以微軟不能聘用你。」

他很失望地離開了微軟，揣著口袋裡僅有的十美元，到便利商店買了十公斤馬鈴薯，挨家挨戶轉手賣出。兩個鐘頭後馬鈴薯賣光了，他得到了十五美元。他從來沒想過，自己竟然可以這樣掙錢。於是，他繼續推銷馬鈴薯，業務不斷增多，利潤也不斷增加。

有了成本之後，他認眞地做起這種送貨上門的生意。自身的努力加上好人緣，短短的五年後，他建立了一個龐大的「挨家挨戶」販售公司，以優惠的價格，將新鮮蔬果送到客戶的家門口。

保險公司找到他，要爲他和家人設計一套保險，他同意了。簽約時，業務員向他要e-mail address。他不得不再次說：「我沒有電腦，也沒有e-mail address。」業務員很驚訝：「您擁有這麼大一個公司，卻沒有e-mail address。想想看，如果你有電腦和e-mail address的話，可以多做多少的事情啊！」

他淡然一笑，說：「那樣的話，我就會成爲微軟的清潔工。」

每個人都不是完美的，你擁有一些東西，必定也缺失一些東西。有的人會永遠為缺失感嘆，因為一種缺失而喪失了所有的擁有。

不要太在意自身的不足和弱點，你只要學會利用一種或幾種擁有的優勢就足夠了。沒有e-mail address不要緊，就去做配送，結果你發現這才是你的長項。

人不需要什麼都會，只要會你最擅長的那一種本領就可以安身立命。

路的旁邊也是路

一九五六年，松下電器與日本生產電氣精品的大阪製造廠合資，設立了大阪電氣精品公司，製造電風扇。當時，松下幸之助委任松下電器公司的西田千秋爲總經理，自己任顧問。

這家公司的前身是專做電風扇的，後來開發了民用排風扇。但即便如此，產品還是顯得很單一。西田千秋準備開發新的產品，試著探詢松下的意見。松下對他說：「只做風的生意就可以了。」

松下的想法是想讓松下電器的附屬公司盡可能專業化，以期有所突破。可是當時的電風扇製造已經做得相當卓越，頗有餘力開發新的領域。儘管如此，西田得到的仍是松下否定的回答。

然而，西田並未因松下這樣的回答而灰心喪氣。他緊盯住松下問道：「只要是與風有關的，任何事情都可以做嗎？」

松下並未細想此話的眞正意思，但西田所問與自己的指示很吻合，所以回答說：「當然是這樣。」

四、五年之後，松下又到這家工廠視察，看到廠裡正在生產暖風機，便問西田：「這是電風扇嗎？」

西田說：「不是。但它和風有關。電風扇是冷風，這個是暖風。你說過，要我們做風的生意。這難道不是嗎？」

松下精工的產品，越來越豐富了，除了電風扇、排風扇、暖風機、鼓風機之外，還有果園和茶圃的防霜用換氣扇、培養香菇和家禽養殖用的調溫換氣扇……西田千秋只做風的生意，就爲松下公司創造了一個又一個的輝煌。

我們在一條路上不斷地走，常常會覺得自己已經把路走完了。實際上，路的旁邊也是路。

西田千秋開始走在松下指引的那條路上，後來他試著往旁邊跨了幾步，就發現了無數的路，而且條條都是全新的路，並最終領著他走向了巨大的成功。

更多的時候，我們在生活的路上走得不好，不是路太狹窄了，而是我們的眼光太狹窄了，所以最終堵死我們的不是路，而是我們自己。

成功就站在失敗的後面

一八三二年的美國，有一個人和大家一起失業了。他很傷心，但他下決心改行從政。他參加州議員競選，結果競選失敗。他著手開辦自己的企業，可是不到一年，這家企業倒閉了。此後幾年裡，他不得不爲償還債務而到處奔波。

他再次參加競選州議員，這一次他當選了，他內心升起一絲希望，認定生活有了轉機。第二年，即一八五一年，他與一位美麗的姑娘訂婚。沒料到，離結婚日期還有幾個月的時候，未婚妻不幸去世，他心灰意冷，數月臥床不起。

一八五二年，他決定競選美國國會議員，結果仍然名落孫山。但他沒有放棄，而是問自己：「失敗了怎麼辦？」

一八五六年，他再度競選國會議員，他認爲自己爭取作爲國會議員的表現是出色的，相信選民會選舉他，但還是落選了。

爲了掙回競選中花銷的一大筆錢，他向州政府申請擔任本州的土地官員。州政府退回了他的申請報告，上面的批文是：「本州的土地官員要求具有卓越的才能，超常的智慧。」

接二連三的失敗並未使他氣餒。過了兩年，他再次競選美國參議員，仍然遭到失敗。

在他一生經歷的十一次重大事件中，只成功了兩次，其他都是以失敗告終，可他始終沒有停止追求。一八六〇年，他終於當選爲美國總統。他就是至今仍讓美國人深深懷念的亞伯拉罕·林肯。

一直堅持到最後的人才知道，世界上沒有「不可能」。偉人和凡人的不同，只是在於能否堅持到最後的而已。

成功就站在失敗的後面，朝前走幾步，你就會看見。

上帝的杯子

進入日本帝國酒店工作的年輕人，最初都必須經過一段全方位的職業培訓，然後再根據各自的不同情況被安排到不同崗位。有個女孩原以爲自己會得到一份和她身分相符的工作，但出乎意料的是，經理卻讓她洗掃廁所。

這個女孩是接受貴族教育長大的，在她心目中，這份工作卑賤而且低俗。第一天伸出手洗馬桶時，她幾乎嘔吐。勉強做了兩個多星期，她就再也不想在這裡待下去了。她的心情糟糕到了極點。

和她在一起做廁所清潔員的是一位五十多歲的老人，他在帝國酒店做了二十三年的清潔工。有一天，她看見這位前輩在洗完馬桶後，居然伸手從馬桶裡盛了滿滿一杯水，當著她的面一飲而盡。

她頓時目瞪口呆。那位前輩卻很自豪地說：「你看，經過我的手清洗的馬

桶，乾淨得連裡面的水都可以喝下去。」這位前輩的舉動給了她很大的啓迪。從這以後，每次洗完一只馬桶，她就會想，我可以從中舀一杯水喝下去嗎？培訓的期限到了，當經理驗收考核時，這位貴族小姐當著很多人的面，從自己洗過的馬桶池裡盛出一杯水，仰頭喝了下去。

三十七歲以前，她是日本帝國酒店的普通員工，是那裡工作最出色的人。三十七歲以後，她開始步入政界，最後成爲日本內閣郵政大臣——野田聖子。

在很多場合，她都這樣介紹自己的身分：最出色的廁所清潔工，最忠於職守的內閣大臣。

有一則這樣的諺語：「上帝給每人一個杯子，你從裡面飲入生活。」

一樣的人，一樣的杯子，可是，我們飲入的生活卻千差萬別。

是什麼造成了這樣的差別？——是我們對生活的不同態度。

你想飲入怎樣的一種生活，決定權在你，而不在杯子。

一把椅子的問候

一個陰雲密布的午後，大雨突然間傾瀉而下，一位渾身濕淋淋的蹣跚老婦，走進費城百貨商店。看著她狼狽的樣子和簡樸的衣裙，所有的售貨員都對她不理不睬。

只有一位年輕人熱情地對她說：「夫人，我能爲您做點什麼嗎？」老婦莞爾一笑：「不用了，我在這兒躲會兒雨，馬上就走。」但是，她的臉上明顯露出不安的神色，因爲雨水不斷從她的腳邊淌到門口的地毯上。

正當她無所適從時，那個小伙子又走過來了，他說：「夫人，您一定有點累，我給您搬一把椅子放在門口，您坐著休息一會兒吧！」兩個小時後，雨過天晴，老婦人向那個年輕人道了謝，並向他要了一張名片，然後就消失在人群裡。

幾個月後，費城百貨公司的總經理詹姆斯收到一封信，信中指名要求這位年輕人前往蘇格蘭，收取一份裝潢材料訂單，並讓他負責幾個家族公司下一年度辦公用品的供應。詹姆斯震驚不已，匆匆一算，只這一封信帶來的利益，就相當於他們兩年的利潤總和。

當他以最快的速度與寫信人取得聯繫後，方知她正是美國億萬富翁「鋼鐵大王」卡內基的母親——就是幾月前曾在費城百貨商店躲雨的那位老太太。

詹姆斯馬上把這位叫菲利的年輕人推薦到公司董事會上，當菲利收拾好行李準備去蘇格蘭時，他已經是這家百貨公司的合夥人了。那年，菲利二十二歲。

不久，菲利應邀加盟到卡內基的麾下。隨後的幾年中，他以一貫的踏實和誠懇，成爲「鋼鐵大王」卡內基的得力助手，在事業上扶搖直上、飛黃騰達，成爲美國鋼鐵行業僅次於卡內基的靈魂人物。

而這一切都是來自一把椅子的問候。

通常，一個希望成功的人，總會不遺餘力地獲取「得到」的機會，這是很正常的。不過，聰明的人不僅會抓住一切「得到」的機會，他們更會抓住一切「給予」的機會。「給予」不會給自己帶來直接的利益，但它會為更大的「得到」埋下伏筆。

肯首先「給予」是難得的，「給予」的時候根本就沒想「得到」就更加難得——只有那些胸懷博大的人才可能這樣做。

結果，他們卻「得到」了很多。

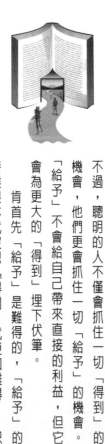

小山美眞子的速度

日本札幌一位四歲的小男孩不愼從八樓掉下來。男孩的媽媽小山美眞子當時正在樓下晾衣服，看到這一情景，立即飛奔過去，趕在小男孩落地之前，把孩子抱在了懷裡。

這一消息在《讀賣新聞》刊出之後，引起日本盛岡俱樂部法籍田徑教練布雷默的質疑。因爲根據報上刊出的示意圖，他發現，要接到從二十五點六公尺高的地方落下的孩子，這位站在二十公尺外的媽媽，必須跑出每秒九點六五公尺的速度。而這一速度，在當時的日本，就是成績最好的田徑運動員都難以達到。

布雷默想，如果《讀賣新聞》沒有搞錯的話，那麼小山美眞子必定是個運動天才。爲了驗證自己的猜測，同時也爲了見一見這位了不起的母親，他決定拜訪一下小山美貞子，看看年輕的媽媽是否眞的創造了一個奇蹟。

兩人的見面地點被安排在一家茶藝館。

當記者把小山美貞子帶到布雷默面前時，這位法籍教練驚愕得差點兒叫起來，因爲站在他面前的不是一位身材高挑、肌肉健碩的女子，而是一個身高不足一點六公尺，體格纖弱瘦小的少婦。

這樣一位弱女子眞能跑出每秒九點六五公尺的速度嗎？從布雷默執教二十餘年的經驗來看，這是絕對不可能的。可是，當他看到小山美貞子手中牽著的那個可愛的孩子和他們母子那種親暱的樣子，他徹底打消了「不可能」的猜疑，因爲從母子二人的身上，他感覺到一種愛的力量在威逼著他，讓他承認自己錯了。

事後，布雷默在回憶錄中寫道：「當時，我甚至覺得自己有點卑鄙，我怎能懷疑一個心中充滿愛的人不會創造奇蹟呢？」

從這件事中，布雷默得出一個結論：人的潛力是沒有限度的——只要你擁有一個足夠強烈的動機。

見過小山美貞子後不久，布雷默離開日本回到法國，在巴黎成立了一家以

小山美眞子名字中第一個法文字母命名的田徑俱樂部。不久，他手下一位名叫沃勒的運動員，在世界田徑錦標賽上，獲得了八百公尺賽的冠軍。

當記者問他，作爲一名新手爲何能在名將雲集的田徑場上脫穎而出時，沃勒回答說：「我聽過小山美眞子的故事。當我在跑道上奔馳的時候，就把自己想像成小山美眞子——我必須跑出最快的速度。」

上帝賦予你的能量，完全可以實現你的任何願望——如果你有小山美真子對兒子那樣的真切之愛！

每個人的體內都有一台發動機，必要的時候，它們會全部為你打開。

總統和億萬富翁的生活原則

托馬斯・傑斐遜是美國第三任總統，他在給孫子的忠告裡，提到了以下十點生活原則：

◎今天能做的事情絕對不要推到明天。
◎自己能做的事情絕對不要麻煩別人。
◎絕不要花還沒有到手的錢。
◎絕不要貪圖便宜購買你不需要的東西。
◎絕對不要驕傲，那比饑餓和寒冷更有害。
◎不要貪食，吃得過少不會使人懊悔。
◎不要做勉強的事情，只有心甘情願才能把事情做好。
◎對於不可能發生的事情不要庸人自擾。

◎凡事要講究方式方法。

◎當你氣惱時，先數到十再說話；如果還是氣惱，那就數到一百。

約翰・丹佛是美國矽谷著名的股票經紀人，家喻戶曉的億萬富豪。在接受記者的一次採訪中，他被要求對以上幾個問題作出自己的回答。非常有趣的是，他的答案和托馬斯・傑斐遜的看法形成了鮮明的對比，使我們從中看出一個政治家和一個商人的截然不同：

◎今天的事情如果放到明天去做，你就會發現結果可能全然不同，尤其是買賣股票的時候。

◎別人能做的事情，我絕對不自己動手去做。因爲我相信，只有別人做不了的事情才值得我去做。

◎如果可以花別人的錢來爲自己賺錢，我就絕對不從自己口袋裡掏一個子兒。

◎我經常在商品打折的時候去買很多東西，哪怕那些東西現在用不著，可是總有用得著的時候，這是一個基本的預測功能。就像我只在股票低迷的時候買進，需要的是同樣的預測功能。

◎很多人認為我是一個狂妄自大的人，這有什麼不對呢？我的父母我的朋友們在為我驕傲，我看不出我有什麼理由不為自己驕傲。我做得很好，我成功了。

◎我從來不認為節食這麼無聊的話題有什麼值得討論的。哪怕是為了讓我們的營養學家們高興，我也要做出喜歡美食的樣子。事實上，我的確喜歡美妙的食物，我相信大多數人都有跟我一樣的喜好。

◎我常常不得不做我不喜歡的事情。我想在這個世界上，我們都沒有辦法完全按照自己的意願做事。我的理想是當一個音樂家，最後卻成為一個股票經紀人。

◎我常常預測困難的發生，哪怕那個困難的可能性在別人看來幾乎為零。正是我的這種本能，使我的公司能夠在美國的歷次金融危機中安然逃生。

◎我認為只要目的確定，就不惜代價去實現它。至於手段，在這個時代，人們只重視結果，有誰去在乎手段呢？

◎我從不隱瞞我的個人愛好，以及我對一個人的看法，尤其是當我氣惱的時候，我一定要用大聲吼叫的方式發洩出來。

每個人都有自己的原則，無論是托馬斯．傑斐遜，還是約翰．丹佛。

不同的行為原則會造就不同的個性，而不同的個性，最終將造就不同的人生。這就是托馬斯．傑斐遜之所以是托馬斯．傑斐遜，約翰．丹佛之所以是約翰．丹佛的原因了。

你想成為什麼樣的人，僅靠空想是辦不到的。你必須從小事做起，從你每天所做的小事中，形成自己的風格，最後完成對自我的塑造。

五點三十分的演奏

有一個孩子非常喜歡拉小提琴，他七歲時就和舊金山交響樂團合作演奏了門德爾松的小提琴協奏曲，未滿十歲就在巴黎舉行了公演，被人們譽爲神童。

一九二六年，十歲的小男孩在父親的帶領下，來到巴黎拜訪艾涅斯庫，他一心想成爲艾涅斯庫的學生。

他說：「我想跟您學琴！」艾涅斯庫冷漠地回答：「你找錯人了，我從來不給私人上課！」男孩堅持說：「但我一定要跟您學琴，求您先聽聽我拉琴吧！」艾涅斯庫說：「這件事不好辦，我正要出遠門，明天早晨六點半就要出發！」男孩忙說：「我可以提早一個小時來，在您收拾東西時拉給您聽，好嗎？」

艾涅斯庫被男孩的堅決意志打動了，他說：「那好吧，明早五點半到克里

希街二十六號，我在那裡等你。」

第二天早晨六點鐘，艾涅斯庫聽完了男孩的演奏。他興奮而滿意地走出房間，對等候在門外的男孩的父親說：「我決定收下你的兒子。不用付學費，他給我帶來的快樂完全抵得過我給他的好處。」

男孩從此成爲艾涅斯庫的學生，他努力學琴，最終學有所成。他就是後來的世界著名小提琴演奏家梅紐因。

再冷漠的人都可以被打動，比如艾涅斯庫，只要你執著；再沒有退路的事，都會有餘地，比如讓艾涅斯庫聽琴，只要你堅忍不拔。

從來沒有成熟的時機

一九二一年六月二日，電報誕生整整二十五周年。美國《紐約時報》對這一歷史性的發明，發表了一篇簡短的評論，其中有這樣一句話：現在人們每年接收的資訊是二十五年前的二十五倍。

對這一消息，當時在美國至少有十六個人做出了敏銳的反應，那就是——創辦一份文摘性刊物。在不到三個月的時間裡，這十六位有先見之明的人士，不約而同地到銀行存了五百美元的法定資本金，並領取了執照。然而，當他們到郵政部門辦理有關發行手續時，卻被告知，該類刊物的徵訂和發行暫時不能代理。如需代理，至少要等到第二年的中期選舉以後。

得到這一答覆，其中的十五人爲了免交執業稅，向新聞出版管理部門遞交了暫緩執業的申請。只有一位名叫德威特·華萊士的年輕人沒有理睬這一套。

他回到暫住地紐約格林威治村的一個儲藏室，和他的未婚妻一起糊了二千個信封，裝上徵訂單寄了出去。

在世界郵政史上，這二千件信函也許根本算不了什麼，然而，對世界出版史而言，一個奇蹟卻誕生了。

到上個世紀末，這兩位年輕人創辦的這份文摘刊物——《讀者文摘》，已擁有十九種文字四十八個版本，發行範圍達一百二十七個國家和地區，訂戶一億一千萬，年收入五億美元。在美國百強期刊排行榜中，幾十年來一直位居第一。

德威特．華萊士夫婦也由原來的一文不名，成爲美國著名的富豪和慈善家。

世界上聰明的人很多，而成功者卻很少。很多聰明人在已經具備了可以成功的基本條件時，仍在等待更多的條件，從而失去了機會。

他們中的成功者並不是這樣。他們不等待萬事俱備，而是竭力抓住每一次機遇，利用自身所擁有的每一點優勢，立即投身進去，從而成長起來。

世界似乎存在著這麼一條公理：成功者並不等待時機成熟。

思維

通向真理的捷徑

我每天必須完成七十八道數學題，六十五道語言問答題，一百二十七道歷史填空題。還要背誦二十五個新單字，還得練習兩個小時的鋼琴……我一生就必須這樣生活下去嗎？

土撥鼠哪兒去了

老師給學生講了一個故事：有三隻獵狗追趕一隻土撥鼠，土撥鼠鑽進了一個樹洞。

這個樹洞只有一個出口，可不一會兒，居然從樹洞裡鑽出一隻小豬。小豬飛快地向前奔跑，並爬上另一棵大樹。

小豬躲在樹上，倉皇中沒站穩，掉了下來，砸暈了正仰頭觀望的三條獵狗。終於，小豬逃脫了。

講完後，老師問：「這個故事有什麼問題嗎？」

學生說：「小豬不會爬樹；還有，一隻小豬不可能同時砸暈三條獵狗。並且，小豬怎麼能跑得過獵狗？」

「還有呢？」教師繼續問。

直到學生再也找不出問題了，老師才說：「可是還有一個問題，你們都沒有提到——土撥鼠哪兒去了？」

土撥鼠哪裡去了？老師的一句話，一下子將學生的思路拉到獵狗追尋的目標上——一隻土撥鼠。

因爲小豬的突然出現，大家的注意力不知不覺中打了岔，土撥鼠竟然在頭腦中消失了。

在人生的旅程中，我們千萬不要忘了時刻提醒自己：土撥鼠哪兒去了？心中的目標哪兒去了？

人一定要懷著目標前進，沒有目標，就會事倍功半，碌碌無為。

讓兔子奔跑

小兔子是奔跑冠軍，可是不會游泳。有人認爲這是小兔子的弱點，於是，小兔子的父母和老師就強迫牠去學游泳。

小兔子耗了大半生的時間也沒學會。牠不僅很疑惑，而且非常痛苦。

貓頭鷹說：「小兔子是爲奔跑而生的，應該有一個地方讓牠發揮奔跑的特長。」看來世界上還是有智者。

看看我們的四周吧！大多數公司、學校、家庭以及各種機構，都遵循一條不成文的定律：讓人們努力改正弱點。

我們整個教育制度的設計，就像捕鼠器一樣，完全針對人的弱點，而不是發現和激勵一個人的優點與特長。

公司經理人把大部分的時間用在有缺點的人身上，旨在幫助他減少過失。

父母師長注意的是孩子成績最差的一科，而不是最擅長的科目。

幾乎所有的人都在集中力量解決問題，而不是去發現優勢。

人人都有這樣的想法，那就是：只要能改正一個人的缺點，他就會變得更好；只要能修正一個公司的缺點，這個公司就會更優良。可悲的是，這種推斷是完全錯誤的。只注意改正一個人或一家公司的缺點，而不重視發揮它的優點，只能造就一個平常或平庸的人或公司。

每個人一生差不多只能做好一兩件事，那麼，我們就沒有必要讓每個人都具有做好一百件事的本領。因為這個緣故，我們最應該做的就是從一個人身上發現他能「做好一件事」的特長，然後激發這種特長，強化這種特長，如此，他便可以安身立命了。

一定要讓猴子唱歌，一定要讓鸚鵡舉重，這不僅是殘忍的，也是愚蠢的。應該有一個地方，讓人們做自己最擅長的事；應該有一個地方，讓小兔子跑個痛快。

怎樣將犯人送往澳洲

十八世紀末，英國人來到澳洲，隨即宣布澳洲爲它的領地。這樣遼闊的大陸，怎麼開發呢？當時英國沒有人願意去荒涼的澳洲。英國政府想了一個辦法：把罪犯統統發配到澳洲去。

私人船主承包了大規模運送犯人的工作。爲了便於計算，政府以上船的人數爲依據支付船主費用。當時運送犯人的船隻多是由破舊的貨船改裝的，設施極其簡陋，沒有儲備藥品，更沒有隨船醫生，條件十分惡劣。

船主爲了牟取暴利，上船前盡可能多裝犯人，一旦船離了岸，船主按人數拿到了錢，就對這些人的死活不聞不問了。他們把生活標準降到最低，有些船主甚至故意斷水斷食，致使三年間從英國運到澳洲的犯人在船上的死亡率高達十二％，有一艘船上的四百二十四個犯人竟然死了一百五十八個，死亡率達三十七%。不僅英國政府遭受了巨大的經濟和人力資源損失，英國民眾對此也極爲不滿。

於是英國政府開始想辦法改善這種狀況。他們在每艘船上派一名官員監督，再派一名醫生負責醫療，並對犯人的生活標準做了硬性規定。但死亡率不僅沒降下來，連有的監督官和醫生也不明不白地死在船上。政府後來查清了原因：一些船主爲了貪利而行賄官員，官員如果拒不順從，就被扔進大海。

一些紳士提出，把船主召集起來進行教育，有的法官建議對一些人進行嚴厲制裁。政府試著這樣做了，但情況依然沒有好轉，死亡率依然居高不下。

一位英國議員想到了制度問題。那些私人船主鑽了制度的漏洞，而制度的缺陷在於政府付給船主的報酬是以上船人數來計算的！假如倒過來，政府以到澳洲上岸的人數爲準計算報酬呢？政府採納了他的建議，不論在英國裝了多少人，到澳洲上岸時再清點人數，依此向船主支付運費。

難題迎刃而解。船主們積極聘請醫生跟船，在船上準備藥品，改善生活，盡可能讓每一個犯人都健康抵達澳洲。因爲在船上死掉一個人就意味著減少一份收入。

一段時間以後，英國政府又做了一個調查。自從實行以上岸計數的辦法後，船上的死亡率降到了一%以下，有些運載幾百人的船隻，經過幾個月的航行竟然沒有一人死亡。

我們每天都在做著各種各樣的事情，當我們做這些事情的時候，有沒有想過：這樣做是最好的方式嗎？這樣做存在什麼弊端？如果換一種完全不同的做法呢？

每一個問題的解決，必定有很多種途徑。有些問題採取不同方法解決，結果沒有多大差別；而有的問題，解決的方法不同，結果完全不同。

方法不需要成本，找到了方法就等於找到一本萬利的資源。很多時候，成功者之所以成功的最大原因，就是他們擁有了最好的方法。

花卉專家告訴我

花卉專家說：「幾乎所有的白花都很香，愈是顏色艷麗的花愈是缺乏芬芳。」

他的結論是：人也是一樣，愈樸素單純的人，愈有內在的美質。

花卉專家說：「夜來香其實白天也很香，但是很少有人聞得到。」

他的結論是：因爲白天人心浮躁，聞不到夜來香的幽幽香氣。如果一個人白天的心也很沉靜，就會發現夜來香、桂花、七里香即使在酷熱的中午也是香的。

花卉專家說：「清晨買蓮花一定要挑那些盛開的。」

他的結論是：早晨是蓮花開放最好的時間，如果一朵蓮花早晨不開，可能中午和晚上都不開了。我們看人也是一樣，一個人在年輕的時候沒有作爲，中年或晚年就更難有作爲了。

花卉專家說：「愈是昂貴的花愈容易凋謝。」

他的意思是：要珍惜青春呀，因爲青春是最名貴的花，最容易失去。

花卉專家說：「每一株玫瑰都有刺。」

他的結論是：正如每一個人一樣，性格中都有你不能容忍的部分。愛護一朵玫瑰，並不要非得努力把它的刺根除，只要學會如何不被它的刺弄傷；同時還要學會如何不讓自己的刺劃傷愛你的人。

生活中無處不閃現智慧的光輝。一個想獲取智慧的人，並不是非要一個名師教導不可，也無須研讀高深莫測的書籍，只要留心，只要思想不蒙上過多世俗的灰塵，即使在一粒沙、一顆閃爍的星星裡，都能聽見智慧的聲音。

弱者的力量

有一天，一隻老虎在太陽下睡覺。

一隻小老鼠經過時碰到了牠的爪子，把牠驚醒了。

老虎正要張嘴吃牠，小老鼠哭道：「哦，別吃我，請讓我走吧，先生！有一天也許我會報答你的。」

老虎在心裡冷笑，小小的老鼠怎麼可能幫一隻老虎呢？但牠是一隻好心腸的老虎，就把老鼠放走了。

不久以後，這隻老虎被一張網罩住了。牠使出全身力氣，使勁掙扎，但網太結實了。於是牠大聲吼叫，小老鼠聽到了牠的吼聲，就跑了過去。

「別動，親愛的老虎，我來幫你。我會把繩子咬斷的。」

老鼠用牠尖銳的小牙齒咬斷了網上的繩結，老虎就從網裡逃脫出來了。

「上次你還取笑我呢！」老鼠說，「你覺得我太小了，沒法爲你做什麼事。你看，現在是一隻可憐的小老鼠救了你的性命。」

在這個世界上，沒有誰注定就是強者，也沒有誰注定就是弱者。

認為自己是強者的人，就是強者；認為自己是弱者的人，就是弱者。

一隻狗被稱作貓

滿臉的鬍鬚擋住了哈特曼教授的面孔，使他看上去像一位很凶、很難接近的老師。

學期第一個專題報告發下來，只有十分的作業，竟被老師扣去了二分，小約翰心裡一陣沮喪。突然，他緊盯住手中的作業，無法相信自己的眼睛。老師剛剛宣布下課，小約翰已經衝到他的面前。還沒來得及開口，老師卻說：「我的課已經結束，有問題請與我的助手預約，明天上午我會在辦公室裡一對一回答你的問題。」

哈特曼教授辦公室的門半開著，還未看到老師的面孔，已經聽到教授說：「請進來。」小約翰匆忙地推開門，哈特曼看了看牆上的時鐘說：「你遲到了兩分鐘。」

「對不起，第一次來，剛才走到另一個方向去了。」教授不耐煩地搖了搖頭：「難道這跟我有什麼關係嗎？我只在乎我們已經約定的時間。好，你今天的問題是什麼？」小約翰拿出考卷，平放在老師的桌上，說：「對不起，我把Hartman寫成Hartmen，把a寫成e，今後我會注意。可是，這個作業總共才只有十分，因爲一個字母就被你扣去了二分。」

「還有其他的問題嗎？」

「沒有。」

「如果是這樣，請讓我第一次也是最後一次來回答這個不成問題的問題。」哈特曼教授在書桌上一筆一畫用大寫字體寫下了HARTMAN，用手指在上面敲了敲：「這是一個人的姓名，寫錯了，就好像一隻狗被稱爲貓。你認爲這樣的問題不嚴重？」

「我保證不會再發生此類錯誤，對不起。」

「我接受你的道歉。但成績我不會更改！我有我教課的原則。如果一個學生將一隻狗叫成了貓，而我還說他是正確的，那恐怕就是最大的錯誤了。」

這是二十年前的一段經歷，在這漫長的二十年中，小約翰忘記了許多舊

事，但這件事卻永遠記得。或許正是哈特曼教授關於「一隻狗叫成了貓」的訓斥，使他在走向成功的路上少犯了許多錯誤。

「把a寫成e」似乎無關緊要，可是如果將「狗叫成了貓」會是什麼結果呢？

人們從來認為大錯是錯，小錯便不是錯。殊不知，「千里之堤，潰於蟻穴」，有時小錯恰恰會導致更慘重的敗局。

蚊子叮了一口之後

保羅在樓梯間的時候，忽然覺得左耳一陣微癢。妻子非要讓他去看醫生。她說，人們往往因不懂小心謹慎而釀成大患。

醫生查看保羅的耳朵，花了大約半小時才抬起頭來，說：「您服用六粒青黴素藥片，很快就可以消除您的症狀。」

保羅吞下了藥片。兩天後，癢癢沒有了，左耳像是獲得了新生一般。唯一影響他愉快心情的是腹部起了一些紅斑，奇癢無比簡直無法忍受。

保羅馬上找了一位專家。他只瞥了我一眼，就跟我說道：「有些人不適合服用青黴素，因此會有過敏反應。您別擔心，服用十二粒金黴素藥丸，幾天之後一切就會正常了。」

金黴素取得了預期效果：斑點消失了，但也產生了意想不到的副作用，保

羅的膝蓋浮腫了，高燒不退。他踉蹌地拖著身子去一位資深大夫那裡。

「我們對這些現象並不陌生，」他安慰保羅，「它們往往與金黴素的療效密切相關。」

他給了保羅一張三十二粒土黴素藥片的藥方。奇蹟發生了，高燒不見了，膝蓋上的浮腫也消退了。不過保羅的腎臟出現了致命的疼痛。

專家被傳喚至保羅的床榻旁，他斷定，致命的疼痛是服用土黴素的結果，千萬不能掉以輕心。腎臟畢竟是腎臟啊。

一名女護士給保羅打了六十四針鏈黴素，將他體內的細菌統統消滅乾淨。在現代化醫院的實驗室裡，眾多檢查和測試明白無誤地表明，雖然在保羅的整個體內連一個活著的微生物都不復存在了，但他的肌肉和神經束也遭到了與微生物同樣的命運。

只有大劑量氯黴素才能挽救保羅的生命。

保羅服下了大劑量的氯黴素……

敬仰保羅的人們紛紛前來參加他的葬禮，許多游手好閒之徒也混雜其中。猶太教法師在他那感人的悼詞中，敘述了保羅與疾病英勇抗爭的經過，可惜醫治無效。保羅死於青春年少時，眞是令人遺憾。

只是到了陰間保羅才想起，他左耳的癢癢是由一隻蚊子的叮咬引起的。

有很多事我們不能把握，但我們可以判斷。不能把握又缺乏判斷，最後就只有任人宰割。

當我們要處理問題的時候，一定要首先搞清楚問題的根源是什麼，如果事先就知道「左耳一陣微癢」只是「由一隻蚊子的叮咬引起的」，悲劇就不會發生。

但現實中，常常發生類似的悲劇。

愛因斯坦的悔悟

愛因斯坦十六歲那年，由於整日和一群調皮貪玩的孩子在一起，致使幾門功課不及格。一個周末的早晨，愛因斯坦正拿著釣魚竿準備和那群孩子一起去釣魚，父親攔住了他，心平氣和地對他說：「愛因斯坦，你整日貪玩，功課不及格，我和你的母親很爲你的前途擔憂。」

「有什麼可擔憂的？傑克和羅伯特他們也沒及格，不照樣去釣魚嗎？」

「孩子，你千萬不能這樣想。」父親充滿關愛地望著愛因斯坦說，「在我們故鄉流傳著這樣一個寓言，我希望你能認眞地聽一聽。」

「有兩隻貓在屋頂上玩耍。一不小心，一隻貓抱著另一隻貓掉到了煙囪裡。當兩隻貓從煙囪裡爬出來時，一隻貓的臉上沾滿了黑煙，而另一隻貓的臉上卻乾乾淨淨。乾淨的貓看見滿臉黑灰的貓，以爲自己的臉也又髒又醜，便快步跑到河邊洗了臉。而黑臉貓看見乾淨的貓，以爲自己的臉也是乾淨的，就大搖大擺地到街上閒逛去了。」

「愛因斯坦，誰也不能成爲你的鏡子，只有自己才是自己的鏡子。拿別人做自己的鏡子，天才也許會照成傻瓜。」

愛因斯坦聽後，羞愧地放下魚竿，回到了自己的小屋裡。

從此，愛因斯坦時常拿自己作爲鏡子來審視和映照自己，並不斷地自我期許：我是獨一無二的，我沒有必要像別人一樣平庸。這就是愛因斯坦之所以成爲愛因斯坦的原因。

一千個人有一千種生活方式，有一千種生活的願望，不同的方式和願望，就會產生不同的生活態度。你可以參照別人的態度確定自己的態度，但你永遠不能照著別人那樣做。

你必須看清自己，並清楚自己想追求什麼。你的未來如何，不取決於別人怎樣做，而是取決於你自己怎樣做。

在客廳裡掛一幅畫

瓊斯要在客廳裡掛一幅畫，就請朋友來幫忙。畫已經在牆上擺好，正準備釘釘子，朋友卻說：「這樣不好，最好先釘兩塊木板，把畫掛在木板上面。」瓊斯遵從他的意見，讓他幫著去找一塊木板。

木塊很快找來了，正要釘上去，他說：「等一等，木板有點大，最好能鋸掉一點。」於是他們便四處找鋸子。找來鋸子，還沒有鋸兩下，他說：「不行，這鋸子太鈍了，得銼一銼。」

他家有一把銼刀，銼刀拿來後，他又發現銼刀沒有把柄。爲了給銼刀安把柄，他又去一個灌木叢裡尋找小樹。要砍下小樹時，他發現瓊斯那把生滿鐵銹的斧頭實在不能用。他又找來磨刀石，可爲了固定住磨刀石，必須製作一個固定木架。爲此，他又去找一位木匠，說木匠家有現成的。

這一走，就再也沒見他回來。當然，那幅畫，瓊斯還是一邊一個釘子把它釘在了牆上。

下午再見到他的時候，是在街上，他正在幫木匠從商店裡往外拖一台笨重的電鋸——爲了做磨刀石架，他們得將一棵大樹鋸開……

有好多這樣的人，他們認為要做這一件事，必須得去做前一件事，要做好前一件事，又得去做更前面的一件事。他們逆流而上，尋根究柢，直到把原始的目的忘得一乾二淨。這種人看似忙忙碌碌，一副辛苦的樣子，其實，他們從來不知道自己在忙什麼。

丟失的名犬

一位富翁的狗在散步時跑丟了，於是他急匆匆地在電視臺發了一則啓事：有狗丟失，歸還者，付酬金一萬元。同時還發布了幾張小狗的彩色照片。送狗者絡繹不絕，但都不是富翁家的那隻。富翁的太太說，肯定是眞正的撿狗人嫌給的錢太少，那可是一隻純正的愛爾蘭名犬。於是富翁把酬金改爲兩萬元。

富翁的那隻狗，被一位在公園躺椅上打盹的乞丐撿到了。乞丐看到廣告後，第二天一大早就抱著狗準備去領賞金。當他經過一家大百貨商場的電視牆的螢幕時，又看到了那則啓事，不過賞金已變成了三萬元。

乞丐又折回他的破屋，把狗重新拴起來。第四天，乞丐再到百貨商場，發現懸賞的金額漲到了四萬元。

在接下來的九天時間裡，乞丐從沒有離開過商場的大螢幕，當酬金漲到使全城的市民都感到驚訝時，乞丐返回了他的住處。他想，就憑這筆賞金，足可以痛快地生活好幾年。可是，當他跨進家門時，看見那隻狗已經餓死了。

乞丐的教訓是：貪心會使人放棄一隻鳥去追逐十隻鳥，結果一隻鳥都不能得到。

富翁的教訓是：有時候，金錢只能激發人的貪欲，並不能激發人的善心。

報答和獎賞

一隻羚羊在逃命時，腳上扎了一根釘子，牠想了許多辦法，都沒有把牠弄掉。同伴都爲牠擔心，因爲像牠這樣，隨時都可能成爲獅子的午餐。爲了不至於失去一位好夥伴，大家向草原上的其他朋友求救。牠們掛出牌子說，誰能幫忙拔出釘子，就能得到豐厚的酬謝。

正好，一隻飛向南方越冬的白鶴得到了這個消息，牠停下來，走近那隻受傷的羚羊，用牠又尖又長的嘴夾住釘子，一使勁拔了出來。羚羊們萬分感激牠，爲了表達謝意，牠們把牠領到一個魚蝦最多的水塘邊。白鶴飽飽地吃了一頓，帶著美好的祝福繼續向南飛翔。

在快要離開大草原時，白鶴決定休息一下。就在牠準備找個地方落腳時，發現了一頭獅子。這頭獅子正躺在一塊石頭上，周圍是狐狸、豺狼和眾多的小鳥。原來這頭獅子在吃一隻羚羊時，被骨頭卡住了喉嚨。牠非常難受，正向草原上的鳥獸發布告示：誰能把那塊骨頭弄出來，重賞。

白鶴從空中落到地上，搖搖自己的長脖子，心想，我的脖子這麼長，肯定可以幫牠這個忙。於是白鶴走近獅子，把脖子伸進牠的嘴裡，眨眼工夫，就把骨頭銜了出來。獅子非常滿意，大吼一聲，跳下石頭，伸手抓了一隻狐狸就吞了下去。

站在一旁的白鶴見獅子沒有理睬牠，就問：「獅子先生，我的獎賞呢？」獅子一聽，大爲生氣，咆哮著說：「你難道沒得到獎賞嗎？你把頭伸進我的嘴裡，還能活著出來，這就是我給你的最高獎賞。」

在善良人那裡，我們常獲得羚羊式的報答；而在惡人的面前，我們只能獲得獅子式的獎賞。

幫助惡人是愚蠢的，如果幫助了惡人還希望從他那裡得到回報，尤其顯得愚蠢。

別期望從狗那裡得到骨頭，別期望從鱷魚那裡得到同情。

WC在哪裡

一位英國女士去義大利旅行。她在一家小旅館住下了，這家小旅館屬於當地的一位校長。這位女士剛登記完畢就向校長提出了一個問題——她非常關心這裡「是否有WC」。因爲口頭交流不夠通暢，她只好把這個問題寫在紙上，交給了校長。

這位校長，英語不是十分精通，於是就去請教當地的牧師，問他是否知道WC的意思。他們一起研究了這個縮寫字可能的各種含義，最後一致認爲，這位女士想要知道的一定是：旅館附近是否有一處路邊的小教堂（Wayside-Church）。於是，校長給這位女士寫了一封熱情洋溢的短信予以回答——

親愛的女士：我非常榮幸地告訴您，這裡的WC離本旅館只有九英里的距離。它坐落在一片松樹林中，周圍有可愛的草地。它可以容納二百二十九人，星期天和星期四開放。夏天許多人都喜歡去那裡，我建議您盡量早些去。如果您不是準時到達的話，可能趕上非常不好的位子。

您也許對此有一些興趣：我的女兒就是在那裡舉行的婚禮，她也是在那裡認識了她的丈夫。在婚禮這個偉大時刻，每排位子上都坐了十個人，他們的臉上是那麼的幸福。我的妻子，很不幸，恰巧病了，沒能一同前往。她最後一次去那裡已經是一年前的事了，爲此她很傷心。

我願意告訴您非常令您高興的事情：很多人帶著午餐，早早趕到那個令人神往的地方，待上一整天。其他一些人則寧願等到最後一分鐘，然後準時趕到。我建議您星期日去，那時有風琴伴奏。那裡的聲音效果非常好，再纖細的聲音您也能聽得到。

最近那裡又增加了一個鈴鐺，每當有人進去時，它就會響起來。我期待著親自護送您去，並把您安排在一個顯著的位置，讓所有的人都能看到您的尊容。

這位優雅而漂亮的女士，看到校長的信，頓時覺得萬分難堪，因爲她想知道的是——哪裡有廁所。

有很多好心善良的人，為了別人的一個請求，他們會竭盡全力。不過，他們也常常犯這樣的錯誤：在還沒完全弄清楚事情的原委時，就慌忙開始行動，結果，每一步來之不易的進展，都離預期的目標越來越遠，最終完全偏離了方向，致使徒勞無功，有時還會鬧出令人啼笑皆非的笑話。

我沒有鞋他卻沒有腳

彼德認識愛波特已經幾年了。有一次，愛波特告訴了彼德一個故事，令人永遠不會忘記：

我曾經是一個對一切都不滿足的人，所以整天都不快樂。但是在一九三四年春天，當我在威培城道菲街散步的時候，目睹了一件事，使我的一切煩惱從此消解。此事發生於十秒鐘內，我在這十秒鐘裡所學得的東西，比從前十年還要多。

我在威培城開了一間雜貨店，經營兩年，不但把所有的積蓄都賠掉了，而且還負債累累。就在前一個星期六，我這間雜貨店終於關門了。當時，我正在向銀行貸款，準備回老家找工作。我走路的樣子看起來像是一個毫無生氣的人，因爲我已經失去了信念和鬥志。

這時，我突然瞧見一個沒有腿的人迎面而來，他坐在一個木製裝有輪子的木板上。他每一隻手撐著一根木棒，沿街推進。我恰好在他過街之後碰見他，他正朝人行道滑去，我們的視線剛好相碰了。他微笑著，向我打了個招呼：「早，先生！天氣很好，不是嗎？」他的聲音是那樣富有感染力，那樣有精神，好像根本就不是一個有身體缺陷的人。

當我站著瞧他的時候，我感覺到我是多麼富有呀！我有兩條腿，我可以走。可是面對他自信的目光，我覺得自己才是一個殘障者！我對自己說：既然他沒有腿也能快樂高興，我當然也可以。因爲我有腿！

我感到心胸頓時豁然開朗。我本來只想向銀行借一百塊錢，但是，我現在有勇氣向它借二百塊了。我本來想到老家求人幫忙隨便找一件事做，但是，現在我自信地宣布，我要到堪薩斯城獲得一份好工作。最後我錢也借到了，工作也找到了。

後來，我把這次經歷中的感想用幾句話寫了下來，貼在我浴室的鏡子上，每天早晨刮臉的時候，我都要大聲地朗讀一遍：

我憂鬱，因為我沒有鞋。
直到在街上遇見一個人，
——他沒有腳！

一位哲人用極其簡潔的話道出了人類的大智慧。

他說：「人生的目的只有兩個：第一，得到你想要的；第二，享受你得到的。」

現實生活中，只有很少的人能夠做好第二點。

上帝沒讓我變成火雞

結束了當天的教學內容，老師看了看錶，還剩十分鐘，於是決定在課堂上隨便問幾個問題，訓練一下孩子們的語言表達能力。

「感恩節快到了，孩子們，你們可不可以告訴我，你們將要感謝什麼呢？」老師讓孩子們思考了一會兒，然後開始點名。

「琳達，你要感謝什麼？」

「我的媽媽天天很早起來給我做早飯，我想，我在感恩節那天一定要感謝她。」

「嗯，不錯。彼得，你呢？」

「我的爸爸今年教會了我打棒球，所以我特別想感謝他。」

「嗯，能打棒球了，很好！瑪麗。」

「無論是上學還是放學，學校的守門人總是微笑地看著我們來來往往。雖然她自己很孤單，沒有多少人關心她，但她卻把關懷的微笑送給我們每一個孩子。我要在感恩節那天給她送一束花。」

「很好！傑克，輪到你了。」

「我們每年感恩節都要吃火雞，大大的火雞，肥肥的火雞，大家見著都非常愛吃。他們只是大口大口地吃火雞，卻從不想一想火雞是多麼的可憐。感恩節那天，會有多少隻火雞被殺掉呀……」

「能不能簡短一些？我覺得你離題了，傑克。」

傑克向四周望了一眼，然後，胸有成竹地說：「我要感謝上帝，感謝他沒有讓我變成一隻火雞。」

當人們津津有味地吃火雞時，誰會把自己放在火雞的位置上考慮一下呢？

歐洲人剛到美國的時候，到處找不到吃的東西，是南瓜和火雞讓他們度過了最初的艱難歲月。為了「感恩」，他們就在每年感恩節的這一天，吃很多的南瓜和火雞。

這就是人類感恩的方式嗎？

我們可以對上帝說：感謝你沒有讓我們變成火雞。可是，火雞會對上帝說什麼呢？

窮人的富裕生活

一天，富有的父親帶著兒子從城裡去鄉下旅行，想讓他見識一下窮人是怎麼生活的。

在農場一戶最窮的人家裡，他們度過了一天一夜。

旅行結束後，父親問兒子：「旅行怎麼樣？」

「好極了！」

「這回你該知道窮人是什麼樣了吧？」

兒子回答：「是的，我知道了。」

「你能描述一下富人和窮人的區別嗎？」

兒子想了想，說：「我們家裡只有一條狗，可是他們家裡卻有四條狗；咱家僅有一個水池通向花壇的中央，可他們竟有一條望不到邊的小河；夜裡我們的花園裡只看見幾盞燈，可他們的花園上面卻有千萬顆星星；還有，我們的院子只能停幾輛小汽車，可他們的院子卻能容得下幾百頭奶牛！」

兒子說完，父親啞口無言。

接著兒子又說：「等我長大了，一定要過上和他們一樣的富裕生活！」

孩子心中的富有和成人心中的富有是不同的，正像孩子心中的快樂和成人心中的快樂不同一樣。孩子的心更接近天性，當成人只剩下生活技巧的時候，孩子給我們帶來了生活的藝術。

一道受用終生的測試題

給你做一道題，看你是不是一個有智慧的人。
這是美國一家大公司總裁招聘員工時親自出的題目——
你開著一輛豪華轎車。
在一個暴風雨的晚上。
經過一個車站。
有三個人正在焦急地等待公共汽車的到來。
一個是快要病死的老人，生命危在旦夕。
一個是醫生，他曾救過你的命，是你的恩人，你做夢都想報答他。
還有一個是你一見傾心的異性，如果錯過了，你一輩子都會後悔。
但你的車只能坐一個人。

你會如何選擇？請解釋一下你的理由。

別人會怎樣選擇？你可以猜一猜。

你可以做出自己的決定，沒有人會責備你。不過，當你做出一個決定後，自省一下：我這樣做是最好的嗎？

老人快要死了，應該首先救他。

然而，每個老人最後都只能把死作爲人生的終點，他們怎麼也逃不過死亡的追趕。

先讓那個醫生上車吧，因爲他救過你，這應該是個報答他的好機會。

不過也可以在將來某個時候去報答他，也許他會有更需要報答的時候。

應該先把一見鍾情的異性帶走，否則會終身遺憾。

也許今天是上帝安排的機遇……

在二百個應聘者中，只有一個人的答案符合總裁的要求，他被雇用了。

他並沒有解釋自己的理由，他只是說了以下的話：

「把車鑰匙給醫生，讓他帶著老人去醫院，我留下來陪伴一見鍾情的人等候公共汽車！」

這個回答是最好的，事先為什麼沒有一個人想到？

其實，回答正確的人並不一定比其他人聰明，不同的是，在整個的決策過程中，唯有他捨棄了一樣東西——一輛豪華轎車。

有時，只要我們捨得丟棄一點東西，世界馬上就變得明朗開闊了，人生的格局立刻發生戲劇性的轉變。

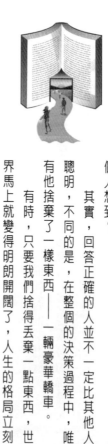

國家圖書館出版品預行編目資料

哈佛家訓 / 威廉・貝納德　著；　張玉譯 -- 第一版.
-- 臺北市：大地, 2005〔民 94〕
面：　公分. --（大地叢書；003）

ISBN 986-7480-21-X（平裝）

1. 家訓

193　　94000347

哈佛家訓

大地叢書 003

作　　者	威廉・貝納德
譯　　者	張　玉
發 行 人	吳錫清
主　　編	陳玟玟
美術編輯	黃雲華
出 版 者	大地出版社
社　　址	114台北市內湖區瑞光路358巷38弄36號4樓之2
劃撥帳號	50031946（戶名：大地出版社有限公司）
電　　話	02-26277749
傳　　眞	02-26270895
E - mail	support@vastplain.com.tw
印 刷 者	博客斯彩藝有限公司
一版三刷	2009年2月

大地

定　　價：200元

版權所有・翻印必究

本書經由中國婦女出版社授權出版，未經書面同意不得以任何形式複製、轉載。

Printed in Taiwan

大地

大地